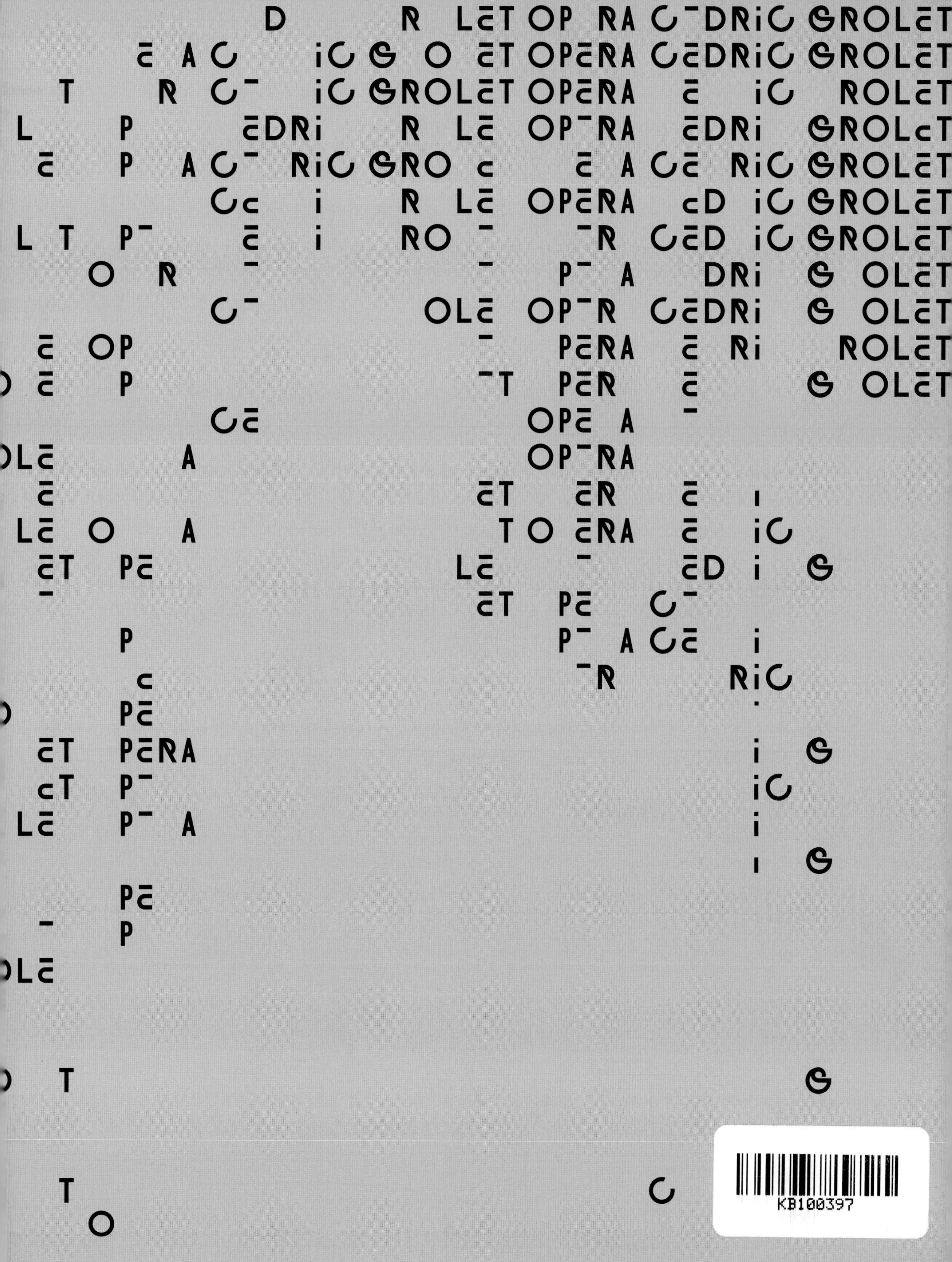

CEDRIC GROLET
세드릭 그롤레

오페라

OPERA

CITRON MACARON
The Kitchen

OPERA

P

인터콘티넨탈 파리 르 그랑 호텔에서 촬영

A PREFACE

005

서문

사람들은 종종 내게 두 가지 질문을 한다.

"어떤 디저트를 제일 좋아해?"

"세드릭, 실제는 어때?"

첫 번째 질문은 아주 쉽다. 답은 바로 크림 카라멜이다. 그건 세드릭도 마찬가지이다. 주변에 크림 카라멜을 절대로 놓아두지 마시라. 우리 둘이 다 먹어치울 테니까...
두 번째 질문은 훨씬 어렵다. 그는 여러 가지 면을 조금씩 모두 갖고 있기 때문이다. 세상에 보이는 그의 모습 또한 여러 면모를 지니고 있다.

내가 아는 세드릭, 그는…

- 소탈하다.

이것이 아마 그를 가장 잘 표현하는 단어일 것이다.

- 진실하다.

내가 생각하건대 아마도 이 책처럼, 내가 확신하건대 우리의 관계처럼.

- 음식을 잘 먹는다.

보기에는 그보다 내가 더 먹보일 것 같지만…

- 듬직하게 믿음이 간다.

마치 형제와도 같다. 내 아들의 대부로 그를 선택한 이유이다.

- 열정적이다.

패션푸르트(fruit de la 'Passion') 모양의 과일 디저트까지 만들 정도이니까.

- 팀워크가 좋다.

오늘날 세드릭이 가진 힘은 그가 이루고, 특히 그가 잘 지켜온 팀워크 자체라고 할 수 있다. 그를 이루고 있는 단단한 핵심은 지난 8년간의 충실한 업무, 수천 개의 디저트, 또한 그 숫자만큼의 미친 웃음이 모여 만들어진 것이다.

- 다른 사람의 의견을 존중한다.

다른 사람의 강점, 약점을 늘 경청한다.

- 관대하다.

그의 곁에서 활약할 수 있도록 내게 상상할 수 없는 자리를 배려했다.

- 일벌레다.

사무실에는 우리의 철학을 잘 요약한 한 문장이 붙어 있다. "조용하게 열심히 일하라, 당신이 한 일의 결과가 떠들썩한 소리를 낼 것이다."

- 운이 좋다.

하지만 이 행운은 하늘에서 떨어진 것이 아니다. 그가 한 조각씩 만들어낸 것이다.

- 창의적이다.

우리는 그를 파티시에 2.0이라고 부른다. 새로 발명해낸 것은 하나도 없기 때문이다. 이미 존재하고 있던 디저트를 좀 더 발전시켰을 뿐이다.

그리고 후유… 힘들다… 그와 매일 함께 일하는 것은 정말 힘들기 때문이다…

우리를 이어주는 것은 어마어마하고 진정한, 그리고 점점 더 커지는 우정이다.
내 인생의 가장 중요한 사람 중 한 명을 위한 이 책 **오페라**의 서문을 쓰게 된 것은 나에게 큰 영광이자 매우 자랑스러운 일이다.

아주 간단하게 썼다. 세드릭도 나도 복잡한 것은 질색이니까.

고마워, 세드릭!

요한 카롱

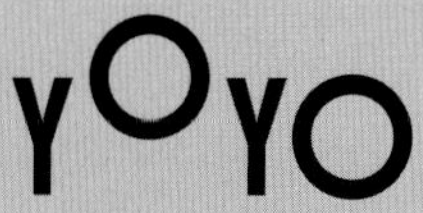

P. S. : 너는 기억 못할 수도 있겠지만 사실 난 9년 전에 네게 편지를 쓴 적이 있지. 너와 함께 일하게 되길 꿈꾸고 있다고.

인터콘티넨탈 파리 르 그랑 호텔에서 촬영

인터콘티넨탈 파리 르 그랑 호텔에서 촬영

인터콘티넨탈 파리 르 그랑 호텔에서 촬영

오페라. 이 한 권의 책으로 내 인생의 또 한 페이지를 넘긴다. 나의 첫 책『과일디저트 *FRUITS*』가 고도의 테크닉과 정확성, 최고의 탁월함을 요하는 최상급 호텔 파티스리 위주의 정밀하고도 꼼꼼한 레시피를 제시했다면, 이 책 **오페라**는 불랑제리, 파티스리라는 새로운 세계로 향하는 나의 첫 시작이다. 이 책에서는 파티스리를 대하는 좀 더 근본적이고도 새로운 방법을 제시하고 있으며 여기에는 재료의 본질에 더욱 가까이 접근하고자 하는 나의 의도가 녹아 있다. 이 책에서 제안하는 디저트 및 모든 제품에는 보존제와 색소가 들어가지 않는다. 또한 원재료 자체가 지닌 질감과 신선함, 본연의 맛을 가능한 한 최대로 살릴 수 있도록 제조 과정 단계를 최대한 줄이려고 노력했다. 각종 비에누아즈리와 빵은 집에서도 최대한 손쉽게 만들 수 있도록 레시피를 고안했다. 생과일 안에 그 과일 과육과 즙으로 만든 소르베를 채운 아이스 디저트인 '프뤼 지브레(fruits givrés)'는 설탕 양을 최소화했고 손님에게 내기 바로 전에 아이스크림 메이커에 돌려 진짜 신선한 과일을 입에 넣은 듯한 느낌을 즐기도록 했다. 앙트르메, 비스퀴 또는 즉석에서 플레이팅하여 서빙하는 디저트 등 다른 레시피들 또한 언제나 단 한 가지 맛에 집중하여 그것을 최대한 풍부하게 표현하고자 했다. 전작인『과일디저트』에서는 과감하고도 현대적인 테크닉과 미래의 파티스리를 소개했다. 이번에 출간한 **오페라**에서는 과거와 현재의 파티스리가 주를 이룬다. 본질에 회귀하기 위해 한 발짝 뒤로 물러난 것이라고 할 수 있으며, 나에게 있어 이 본질이란 곧 본래의 진정함, 즉 정통성을 추구하는 것이다.

여기에는 파티시에로서 내가 선택한 새로운 접근방식이 투영되어 있다. 바로 목표를 향해 직진하는 것이다. 나는 우리 팀원들과 함께 끊임없이 새로운 레시피 개발에 전념하고 있으며 재료의 계절성을 항상 염두에 두고 그것들이 가장 순수하고 좋은 맛을 낼 수 있도록 레시피 검토와 조정에도 언제나 촉각을 곤두세우고 있다. 뿐만 아니라 제조 과정에 있어서도 휴지시간과 냉동시간을 줄임으로써 나의 파티스리는 더욱 단순해진다. 이는 궁극적으로 오래 보관하지 않고 금방 만든 디저트를 고객들에게 제공하기 위함이다. 이를 위해서는 '르 뫼리스' 호텔에서 수년간 해온 방식으로부터 해방되어야 할 필요가 있다고 생각했다. 그것은 개선을 위한 변화라기보다는 또 하나의 다른 축 위에서 작업하여 기존과는 다른 또 하나의 새로운 세계를 창출해내는 것이라고 할 수 있다. 이러한 목표를 이루고자 한다면 새로운 장소를 오픈하는 것보다 더 확실한 방법이 어디 있겠는가? 새로운 창조를 위한 공간, 즉 재료 본연에 가장 가까운 더욱 순수한 맛을 간직한 파티스리를 고객에게 제공하고 그들로 하여금 이러한 새로운 파티스리 접근 방식에 더 관심을 갖게 만들어줄 수 있는 그런 공간 말이다.

새로운 장소, 그곳은 바로 OPERA

새 파티스리 부티크 '오페라'는 이와 동일한 이름과 철학을 가진 나의 새 책의 출간과 정확히 맞물려 그 문을 열었다.

오페라는 환상적인 전설의 케이크 이름일 뿐 아니라 파리의 특별한 분위기, 음악, 예술, 아름다움의 상징이며 역사를 담고 있는 장소이다. 나는 '오페라'라는 명칭이 나에게 주는 모든 의미를 담아낸, 더 넓게는 오페라가 지닌 총체적 상상력이 묻어 있는 파티스리 매장을 만들고 싶었다. 나의 새 부티크에서는 이 책에 소개되어 있는 레시피들을 바탕으로 소비자들과 가까운 파티스리를 선보이고자 한다. 케이크, 비에누아즈리, 빵 등은 모든 사람이 아는 친숙한 아이템들이지만, 이것을 오늘날 현대적인 선호도와 입맛에 맞추어 우리 팀이 세심하고 정교하게 발전시킨 최적의 레시피로 소개하고자 한다.

나의 이러한 접근 방식은 단순히 어떤 디저트 레시피를 재해석하는 것에 머무는 것이 아니라 이것을 더욱 정제하고 다듬어 모든 레시피가 각각의 진솔한 모습, 가장 좋은 원래의 맛을 제대로 발휘하도록 하는 것이다. 나의 목표는 단순히 하나의 크루아상을 먹더라도 현대적 테크닉과 최대한의 정수가 녹아든 프랑스 불랑제리 최고의 맛과 노하우를 소비자가 제대로 느끼고 즐길 수 있게 하는 것이다. 그렇기 때문에 오페라 매장에서 제공되는 레시피의 가짓수는 제한적일 수 있지만 가능한 한 이것들을 최선, 최고의 방식으로 만들려고 한다. 즉석에서 플레이팅하거나 작업 과정을 고객들에게 오픈하여 맛뿐 아니라 오감으로 느낄 수 있는 기회를 선사하는 것이다. 파티시에들의 작업 현장을 직접 보면서 소비자들은 제품의 텍스처, 냄새 등을 더욱 가깝게 느낄 수 있으며 궁극적으로 이 장소가 가진 정체성에 완전히 젖어들게 될 것이다.

여러분이 지금 두 손에 들고 있는 이 책은 오페라 부티크의 정체성을 증명하는 보증서가 될 것이다. 이 책의 레시피들은 간단하면서도 효율적이다. 하루의 시간 흐름에 따라 챕터별로 분류하였고, 각 시간대마다 서빙되는 제품들은 종류별로 간추려 소개하고 있다. 오전 7시에는 아침식사용 비에누아즈리, 오전 11시에는 다양한 파티스리, 오후 3시에는 플레이팅 디저트와 간식으로 즐길 수 있는 소르베를 채운 과일류, 끝으로 오후 5시에는 오븐에서 마지막으로 구워져 나오는 빵들을 선보인다.

오페라는 나에게 있어 하나의 전환점이며 새로운 경험을 확장시키는 계기가 될 것이다. 책이든 매장이든 내가 걸어가는 방향은 같다. 고정관념을 깨고 모든 것에 의문을 품으면서 새로운 무엇인가를 시작하는 것, 여태껏 본 적이 없는 놀라운 것을 시작하는 것이다.

A

OP

OPERA

7H

11H

15H

17H

개

15개 분량

작업시간 : 40분

조리 : 15분

휴지 : 1시간 30분 + 2시간

크루아상
CROISSANTS

크루아상 반죽
밀가루(T45 박력분) 1kg
물 420g
달걀 50g
설탕 100g
이스트 45g
소금 18g
꿀 20g
포마드 상태의 버터 70g
푀유타주용 저수분 버터 400g

달걀물
달걀노른자 300g
액상 생크림 30g

023

SA TS

CROiSSANTS

7H

크루아상

크루아상 반죽 *Pâte à croissant*
p.254의 레시피를 참조하여 크루아상 반죽을 만든다.

달걀물 *Dorure*
용기에 달걀노른자와 생크림을 넣고 손 거품기로 휘저어 섞는다.

성형하기 *Montage*
밀대로 민 반죽을 밑변 7cm, 높이 35cm크기의 삼각형으로 재단한다. 밑변부터 꼭짓점 방향으로 돌돌 말아 크루아상 모양을 만든다. 26°C에서 2시간 휴지시킨다.

완성하기 *Finitions et cuisson*
오븐을 175°C로 예열한다. 유산지를 깐 베이킹 팬 위에 크루아상을 놓고 붓으로 달걀물을 얇게 바른다.
오븐에 넣어 15분간 굽는다.
오븐에서 꺼낸 크루아상을 팬에서 떼어낸 뒤 망에 올려 식힌다.

12개 분량　　작업시간 : 40분　　조리 : 15분　　휴지 : 1시간 30분 + 1시간 30분

초콜릿 크루아상
PAINS AU CHOCOLAT

크루아상 반죽
밀가루(T45 박력분) 1kg
물 420g
달걀 50g
설탕 100g
이스트 45g
소금 18g
꿀 20g
포마드 상태의 버터 70g
푀유타주용 저수분 버터 400g
초콜릿 스틱 36개

달걀물
달걀노른자 300g
액상 생크림 30g

PAiNS AU CHOCOLAT

7H

T

팽 오 쇼콜라_초콜릿 크루아상

크루아상 반죽 *Pâte à croissant*
p.254의 레시피를 참조하여 크루아상 반죽을 만든다.

달걀물 *Dorure*
용기에 달걀노른자와 생크림을 넣고 손 거품기로 휘저어 섞는다.

완성하기 *Finitions et cuisson*
밀대로 민 반죽을 20cm x 7cm크기의 직사각형으로 재단한다. 반죽 짧은 면의 거의 가장자리에 맞추어 초콜릿 스틱 한 개를 놓고 약 2cm 정도 말아준다. 그 자리에 초콜릿 스틱을 하나 더 놓고 다시 2cm를 만다. 마지막으로 끝까지 말아 작은 직사각형 빵 덩어리 모양을 완성한다. 26°C에서 1시간 30분간 휴지시킨다. 오븐을 175°C로 예열한다.
유산지를 깐 베이킹 팬 위에 빵들을 놓고 붓으로 달걀물을 얇게 바른다. 오븐에 넣어 15분간 굽는다. 오븐에서 꺼낸 초콜릿 크루아상을 팬에서 떼어낸 뒤 망에 올려 식힌다.

P ˙NS

비에누아즈리

12개 분량 작업시간 : 2시간 조리 : 15분 휴지 : 1시간 30분 + 3시간 50분

건포도 페이스트리 롤
ROULÉS AUX RAISINS

브리오슈 푀유테 반죽
밀가루(T45 박력분) 825g
고운 소금 12g
설탕 50g
달걀 150g
우유 300g
이스트 75g
포마드 상태의 버터 75g
푀유타주용 저수분 버터 450g

건포도
건포도 200g
따뜻한 물 500g

크렘 파티시에
우유 450g
액상 생크림 50g
바닐라 빈 2줄기
설탕 90g
커스터드 분말 25g
밀가루 25g
달걀노른자 90g
카카오버터 30g
판 젤라틴 4장
버터 50g
마스카르포네 치즈 30g

ROULÉS AUX RAISINS

룰레 오 레쟁_건포도 페이스트리 롤

7H

브리오슈 푀유테 반죽 *Pâte à brioche feuilletée*
p.254의 레시피를 참조하여 브리오슈 푀유테 반죽을 만든다.

건포도 *Raisins*
따뜻한 물에 건포도를 1시간 동안 담가 불린다.

크렘 파티시에 *Crème patissière*
젤라틴을 찬물에 담가 불린다.
냄비에 우유와 생크림을 넣고 뜨겁게 데운 뒤 길게 갈라 긁은 바닐라 빈과 줄기를 함께 넣고 20분간 향을 우린다. 볼에 설탕, 커스터드 분말, 밀가루, 달걀노른자를 넣고 색이 뽀얗게 될 때까지 거품기로 휘저어 섞는다. 우유, 생크림 혼합물을 체에 거르고 다시 뜨겁게 데워 볼의 혼합물에 붓고 섞는다. 이것을 다시 냄비로 옮긴 다음 2분간 끓인다. 불에서 내린 뒤 카카오버터, 물을 꼭 짠 젤라틴을 넣어 섞은 뒤 이어서 버터, 마스카르포네를 넣는다. 핸드블렌더로 갈아 혼합한 다음 냉장고에 30분간 넣어 재빨리 식힌다.

완성하기 *Montage et finitions*
반죽을 3.5mm 두께로 민 다음 L자 스패출러를 사용하여 크렘 파티시에를 전체적으로 얇게 펴 바른다. 물에서 건진 건포도를 고루 뿌린 다음 반죽을 김밥처럼 단단히 말아준다. 이것을 유산지로 말아 싼 다음 냉동실에 20분간 넣어둔다.
반쯤 냉동된 반죽을 4cm 폭으로 자른 뒤 미리 안쪽에 버터를 발라둔 링(세르클)에 하나씩 넣는다. 깨끗한 행주로 덮은 뒤 26°C에서 2시간 동안 휴지시켜 부풀게 한다.
175°C로 예열한 오븐에서 15분간 굽는다.

3개 분량

작업시간 : 45분

조리 : 20분

휴지 : 4시간

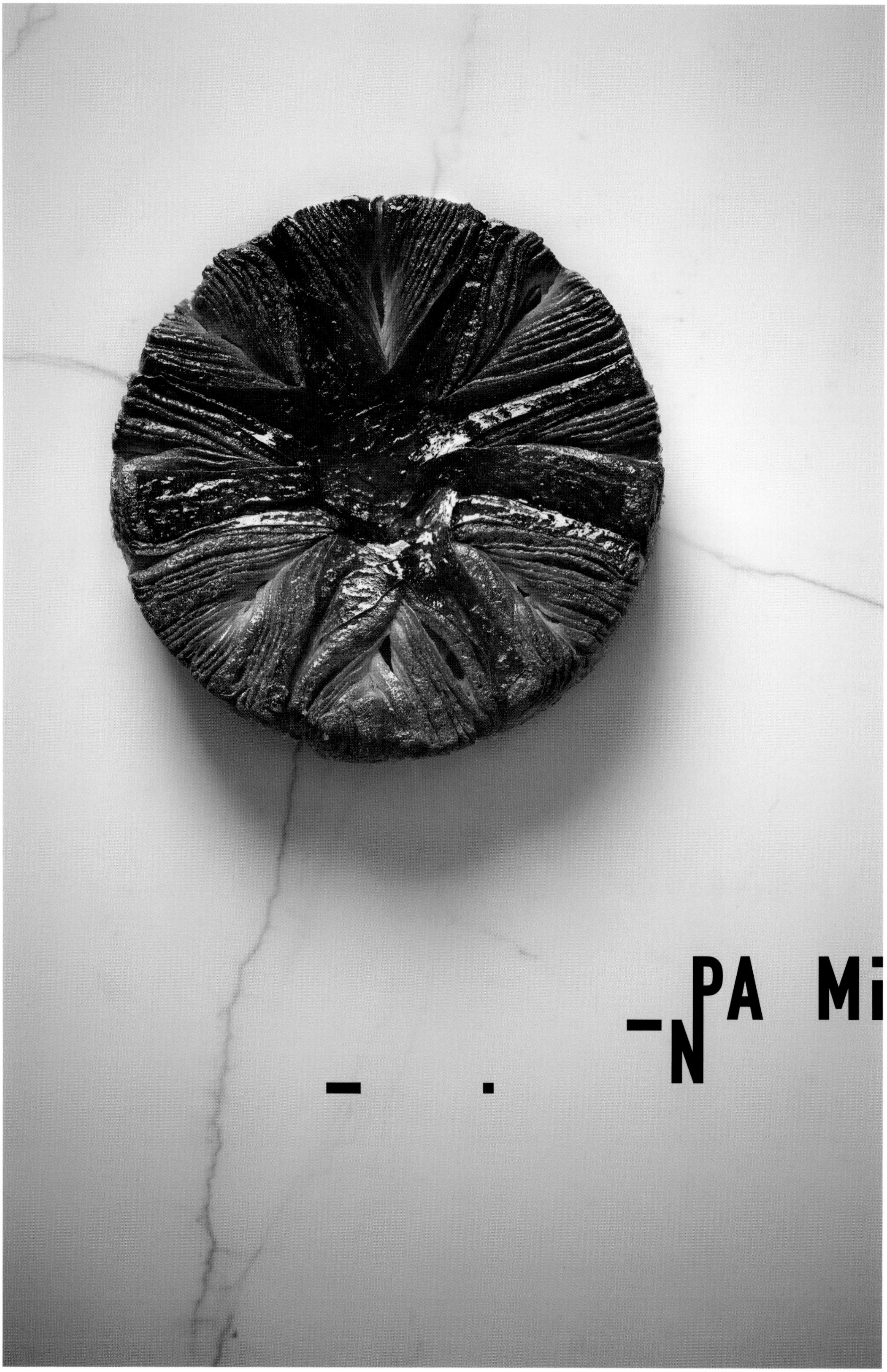

PA Mi
N

방사형 팔미에
PALMIER EN ÉTOILE

푀유타주

- 뵈르 마니에 *Beurre manié*

푀유타주용 저수분버터 330g
밀가루(farine de gruau) 135g
비정제 황설탕 100g
파넬라 설탕 100g

- 데트랑프 *Détrempe*

물 130g
소금 12g
흰 식초 3g
부드러워진 버터 102g
밀가루(farine de gruau) 315g

PALMIER EN ÉTOILE

팔미에 앙 에투알_방사형 팔미에

푀유타주 반죽 *Feuilletage*

전동 스탠드 믹서 볼에 푀유타주용 버터와 밀가루를 넣고 플랫비터로 10분 정도 돌려 섞는다. 이 뵈르 마니에를 두께 1cm, 40cm x 115cm 크기의 긴 직사각형으로 민다.
스탠드 믹서에 도우훅을 장착한 다음 믹싱볼에 데트랑프 재료를 모두 넣고 균일한 혼합물이 될 때까지 약 15분간 돌려 반죽한다.
데트랑프 반죽을 두께 1cm, 사방 38cm 크기의 정사각형으로 민다. 이것을 뵈르 마니에 중앙에 놓고 양쪽 끝을 가운데로 접어 감싸준다.
반죽을 밀어 3절 접기를 4회 실시한다. 우선 길게 밀어 첫 번째 3절 접기를 한 다음 냉장고에 1시간 휴지시킨다. 같은 방법으로 두 번째 밀어접기를 한다. 이어서 2회에 걸쳐 밀어접기를 반복하는데 이때 설탕(비정제 황설탕과 파넬라 설탕 혼합)을 각 회마다 고루 깔아준다. 밀어접기를 한 차례 마친 뒤에는 반드시 냉장고에 휴지시킨 후 다음 회차를 진행한다. 총 4회의 3절 접기를 마친 반죽을 두께 4mm로 민다.

완성하기 *Montage et finitions*

오븐을 180°C로 예열한다. 푀유타주 반죽을 14cm x 7.5cm 크기의 직사각형으로 자른다. 이 길쭉한 띠 모양의 반죽을 각각 한 번씩 비틀어 꼬아준 뒤 나란히 포개 붙여 원 모양을 만든다. 가운데 부분을 꼭 집어준다. 논스틱 원형 틀에 넣고 오븐에서 20분간 굽는다. 오븐에서 꺼낸 뒤 틀을 제거하고 망에 올려 식힌다.

i

F

FRA

10개 분량

작업시간 : 1시간

조리 : 25분

휴지 : 1시간 30분 + 2시간

라즈베리 페이스트리 롤
ROULÉS FRAMBOISE

B

크루아상 반죽
밀가루(T45 박력분) 1kg
물 420g
달걀 50g
설탕 50g
파넬라 설탕 50g
이스트 45g
소금 18g
꿀 20g
포마드 상태의 버터 70g
꿀 20g
발효종(르뱅) 75g
푀유타주용 저수분 버터 400g

라즈베리 발사믹 잼
라즈베리 즙 150g
설탕 300g
냉동 라즈베리 1kg
글루코스 분말 100g
펙틴(pectine NH) 6g
발사믹 식초 50g

완성재료
버터
설탕

ROULÉS FRAMBOISE

룰레 프랑부아즈_라즈베리 페이스트리 롤

크루아상 반죽 *Pâte à croissant*
p.254의 레시피를 참조하여 크루아상 반죽을 만든다.

라즈베리 잼 *Confiture de framboise*
냄비에 설탕과 라즈베리 즙을 넣고 115°C까지 끓인 다음 라즈베리를 넣는다. 과일의 수분이 모두 나오면 글루코스, 펙틴, 발사믹 식초를 넣고 104°C까지 끓인다.

완성하기 *Montage et finitions*
반죽을 두께 3.5mm, 길이 40cm x 폭 20cm 크기의 직사각형 모양으로 민다. 여기에 라즈베리 잼을 얇게 펴 바른 뒤 남은 잼은 깍지를 끼운 짤주머니에 채워 넣는다. 잼을 바른 반죽을 길이 방향으로 단단하게 김밥처럼 만다. 4cm 폭으로 자른다(반죽이 너무 말랑말랑할 경우 냉동실에 몇 분간 넣어두면 쉽게 자를 수 있다). 버터를 바르고 설탕을 뿌려둔 지름 6cm 링 안에 자른 조각을 하나씩 채워 넣는다. 상온에서 약 2시간 정도 휴지시킨다. 175°C로 예열한 오븐에서 25분간 굽는다. 오븐에서 꺼낸 뒤 짤주머니를 이용해 빵의 바닥 쪽으로 라즈베리 잼을 채워 넣는다. 망에 올려 식힌다.

8인분 작업시간 : 45분 조리 : 25분 휴지 : 1시간 30분

애플파이
RAYÉ AUX POMMES

크루아상 반죽
밀가루(T45 박력분) 1kg
물 420g
달걀 50g
설탕 100g
이스트 45g
소금 18g
꿀 20g
포마드 상태의 버터 70g
퍼유타주용 저수분 버터 400g

사과 콩포트
사과 500g
설탕 60g
레몬 1개

RAYÉ AUX POMMES

레이에 오 폼_애플파이

크루아상 반죽 *Pâte à croissant*
p.254의 레시피를 참조하여 크루아상 반죽을 만든다. 반죽을 4mm 두께로 민 다음 원형 커터를 사용해 지름 10cm와 12cm 크기의 원형을 같은 수로 짝을 맞추어 만들어둔다.

사과 콩포트 *Compote de pomme*
사과를 잘게 썰어 레몬즙과 함께 냄비에 넣고 설탕을 부어 잘 섞는다. 과육이 콩포트 상태가 될 때까지 약한 불로 뭉근히 익힌다.

완성하기 *Montage et cuisson*
오븐을 180°C로 예열한다. 지름 12cm 원형 반죽 위에 사과 콩포트를 각각 펼쳐 얹은 뒤 지름 10cm 반죽을 올린다. 아래 시트 가장자리의 여유분을 감치듯이 접어 올리며 꼭꼭 눌러 붙인다. 파이를 뒤집은 다음 설탕을 뿌리고 커터를 사용해 줄무늬를 긋는다. 오븐에 넣어 25분간 굽는다.

8개 분량

작업시간 : 40분

조리 : 25분

휴지 : 3시간 15분

N

K

퀸아망
KOUIGN AMANN

퀸아망 반죽
밀가루(T45 박력분) 1kg
물 420g
달걀 50g
소금 18g
이스트 45g
설탕 50g
파넬라 설탕(1) 50g
꿀 20g
버터 70g
바닐라 가루 15g
푀유타주용 저수분 버터 400g
플뢰르 드 셀(fleur de sel) 가염 버터 330g
파넬라 설탕(2) 100g
비정제 황설탕 150g

KOUIGN AMANN
쿠이냐만_퀸아망

퀸아망 반죽 *Pâte à Kouign-Amann*
크루아상과 같은 방법으로 퀸아망 반죽을 만든다(p.254 참조). 단, 2회의 3절 접기를 할 때 녹인 가염 버터 절반(165g)과 파넬라 설탕(2)의 절반(50g), 비정제 황설탕 절반(75g)의 혼합물을 반죽에 고루 펴 바른 뒤 윗부분을 1/3 지점까지 접고 다시 아랫부분을 그 위로 접어 덮는다. 냉장고에 넣어 30분간 휴지시킨다. 두 번째 밀어접기도 나머지 재료를 사용해 마찬가지 방법으로 진행한다. 밀어접기를 모두 마친 반죽을 두께 3.5mm로 민다. 냉장고에 넣어 45분간 휴지시킨다.

완성하기 *Montage et cuisson*
오븐을 180°C로 예열한다. 반죽을 사방 12cm 크기의 정사각형으로 자른 뒤 네 귀퉁이를 가운데 쪽으로 접는다(pliage enveloppe). 이 작은 사각형의 각 면 중앙에 살짝 칼집을 내준다. 버터를 바른 링에 하나씩 넣은 다음 상온에서 1시간 30분 휴지시킨다. 오븐에 넣어 25분간 굽는다. 오븐에서 꺼낸 뒤 뜨거울 때 링을 제거하고 식힘망 위에 올린다.

10개 분량 작업시간 : 3시간 조리 : 20분 휴지 : 1시간 30분 + 2시간

CH ONS
S N
NS S

애플 턴오버
CHAUSSONS AUX POMMES

크루아상 반죽
밀가루(T45 박력분) 1kg
물 420g
달걀 50g
설탕 100g
이스트 45g
소금 18g
꿀 20g
포마드 상태의 버터 70g
푀유타주용 저수분 버터 400g

사과 필링
사과(재래종) 5개
비정제 황설탕 200g
계핏가루 1g

달걀물
달걀노른자 150g
액상 생크림 45g
꿀 10g

C AU S

CHAUSSONS

7H

쇼송 오 폼_애플 턴오버

크루아상 반죽 *Pâte à croissant*
p.254의 레시피를 참조하여 크루아상 반죽을 만든다. 5mm 두께로 민 다음 타원형 커터를 사용해 쇼송 모양으로 자른다.

사과 필링 *Garniture pomme*
사과의 껍질을 벗긴 뒤 반으로 잘라 속과 씨를 빼낸다. 반으로 자른 사과를 설탕, 계피 혼합물에 넣고 잘 버무려 섞는다.

달걀물 *Dorure*
용기에 달걀노른자와 생크림, 꿀을 넣고 손 거품기로 휘저어 섞은 뒤 체에 거른다.

완성하기 *Montage et finitions*
설탕과 계피를 묻힌 사과를 쇼송 반죽 위에 놓고 반으로 덮어 감싸준 뒤 만두를 만들 듯이 물 묻힌 손가락으로 꼭꼭 눌러 가장자리를 붙인다. 유산지를 깐 베이킹 팬 위에 쇼송을 배치한 뒤 붓으로 달걀물을 발라준다(반 정도 남은 달걀물은 따로 보관한다). 냉장고에 넣어 2시간 정도 휴지시킨다.
오븐을 175°C로 예열한다. 쇼송을 냉장고에서 꺼낸 뒤 다시 한 번 달걀물을 바르고 칼등으로 무늬를 낸다. 오븐에서 20분간 굽는다. 오븐에서 꺼낸 뒤 망에 올려 식힌다.

10개 분량

작업시간 : 1시간 30분

조리 : 25분

휴지 : 1시간 30분 + 1시간 30분

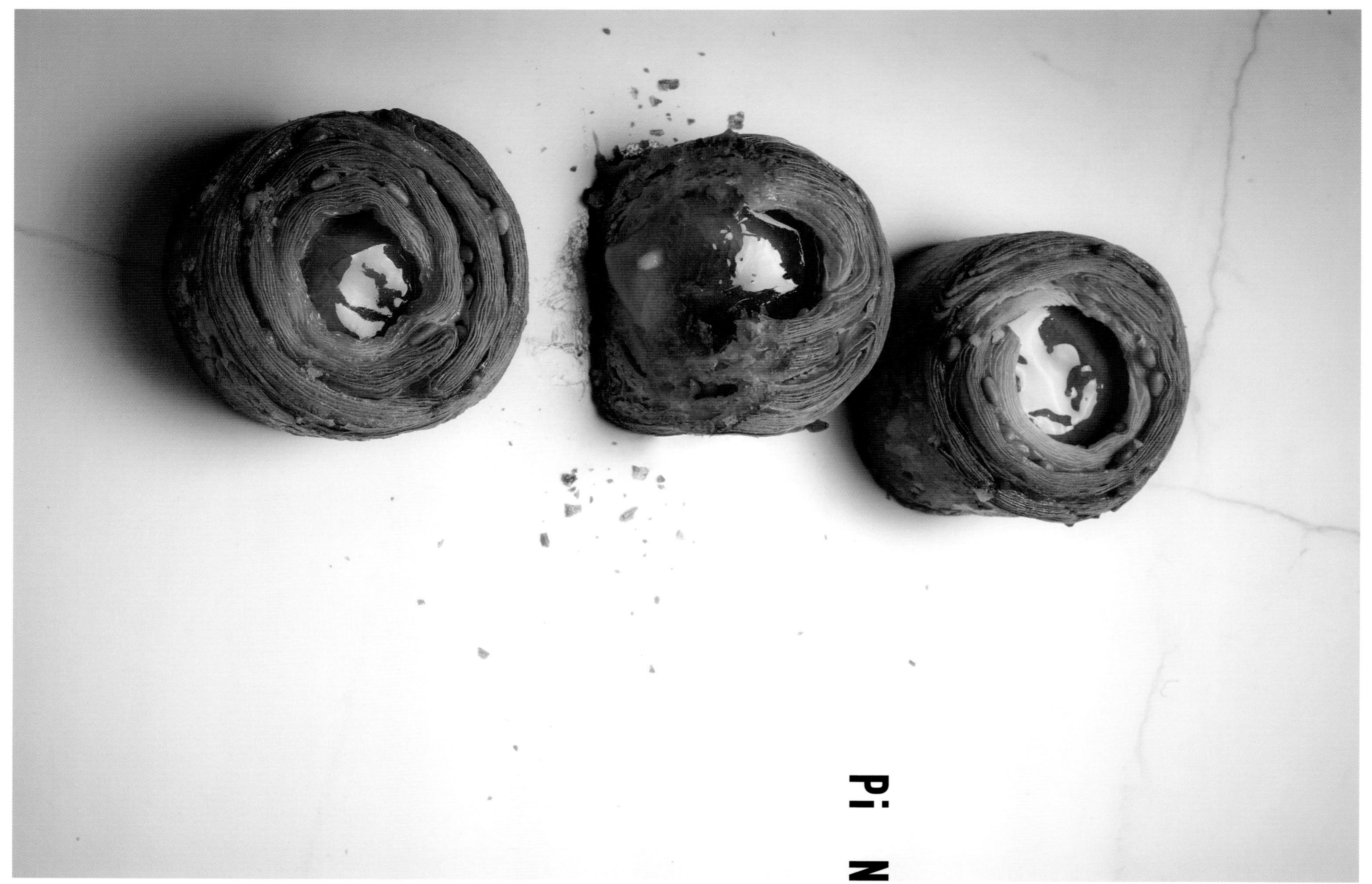

Pi N

살구, 잣 페이스트리 롤
ABRICOTS AUX PIGNONS DE PIN

크루아상 반죽
밀가루(T45 박력분) 1kg
물 420g
달걀 50g
설탕 100g
이스트 45g
소금 18g
꿀 20g
버터 70g
푀유타주용 버터 400g

살구 필링
유기농 살구 10개
비정제 황설탕 400g
로즈마리 가루 2g
잣 50g

살구 나파주
살구 퓌레 200g
글루코스 시럽(물엿) 45g
설탕 60g
펙틴(pectine NH) 3g

ABRICOTS AUX PIGNONS

아브리코 오 피뇽 드 팽_살구, 잣 페이스트리 롤

7H

크루아상 반죽 *Pâte à croissant*
전동 스탠드 믹서 볼에 밀가루, 물, 달걀, 이스트, 소금, 설탕, 꿀을 넣고 도우훅을 장착한다. 속도 1로 작동을 시작하여 균일하게 섞이면 속도를 2로 올린 뒤 반죽이 믹싱볼 벽에 더 이상 달라붙지 않을 때까지 혼합한다. 이어서 포마드 상태의 버터를 넣고 계속 돌려 균일한 반죽을 만든다. 젖은 행주로 덮어 상온(24~25°C)에서 1시간 동안 1차 발효시킨다. 반죽을 덜어내 손으로 펀칭하며 공기를 뺀 다음 푀유타주용 버터 크기의 폭, 그의 2배에 해당하는 길이의 직사각형으로 민다. 냉동실에 5분간 넣었다가 냉장실로 옮겨 15분간 휴지시킨다.
반죽 중앙에 푀유타주용 버터를 놓고 양쪽 반죽을 가운데로 향해 접어 덮는다. 버터가 보이는 열린 면을 작업자의 앞쪽으로 향하게 놓고 밀대로 민 다음 4절 접기를 1차례 실시한다. 우선 반죽을 아래에서 위를 향해 밀대로 밀어 두께 7mm로 길게 편 다음 가운데에 살짝 표시를 해둔다. 윗부분과 아랫부분을 각각 이 중심선을 향해 접은 뒤 다시 지갑처럼 반으로 접는다(4절 접기 1회 완성). 냉장고에 넣어 10분간 휴지시킨다. 이어서 3절 접기를 한 차례 실시한다. 반죽을 1cm 두께로 길게 민 다음 위쪽을 3등분 지점으로 접고 아래쪽 반죽을 그 위로 접어 덮는다(3절 접기 1회 완성). 이것을 두께 5mm로 민다.

살구 필링 *Garniture abricot*
설탕과 로즈마리 가루를 혼합한 뒤 씨를 뺀 살구를 넣고 고루 굴리며 버무린다. 그 위에 잣을 조금 뿌린다.

살구 나파주 *Nappage abricot*
냄비에 살구 퓌레와 글루코스 시럽을 넣고 가열한다. 볼에 설탕과 펙틴을 넣고 섞은 뒤 따뜻한 온도의 퓌레 혼합물에 넣는다. 거품기로 저으며 몇 분간 끓인 뒤 냉장고에 보관한다.

완성하기 *Montage et finitions*
5mm로 민 반죽을 25cm x 4cm 크기의 긴 띠 모양으로 자른다. 반죽 끝에 살구 필링을 놓고 돌돌 말아준다. 가운데 살구를 채운 롤 반죽을 26°C의 따뜻하고 습기가 있는 곳에서 1시간 30분 정도 발효시킨다. 오븐을 175°C로 예열한다. 유산지를 깐 베이킹 팬 위에 롤 반죽을 배치한 뒤 오븐에서 25분간 굽는다. 오븐에서 꺼낸 뒤 붓으로 살구 나파주를 발라준다.

FL N F iLLETE FLAN FEUiLLETE

F iLLETE FLAN FEUiL

TE FLAN FEUiLLE E

LA EUiLL TE FLAN FE iLL E

F A i L FLAN UiL ETE

FL FLA F U

FLAN F FLA F

FLAN FEUiL FE i

FLAN FE L

FLAN F Ui L A FEU T

AN FEUi ET LA FEUi ET

FL N FE i E F F U ETE

iL FL ETE

F FEUiL

FLA LAN FEUiL

F A A FEUiLLET

A F LLE

FL N FLA FE TE

F FL F UiLL T

AN 플랑 피유테 FLAN i ET

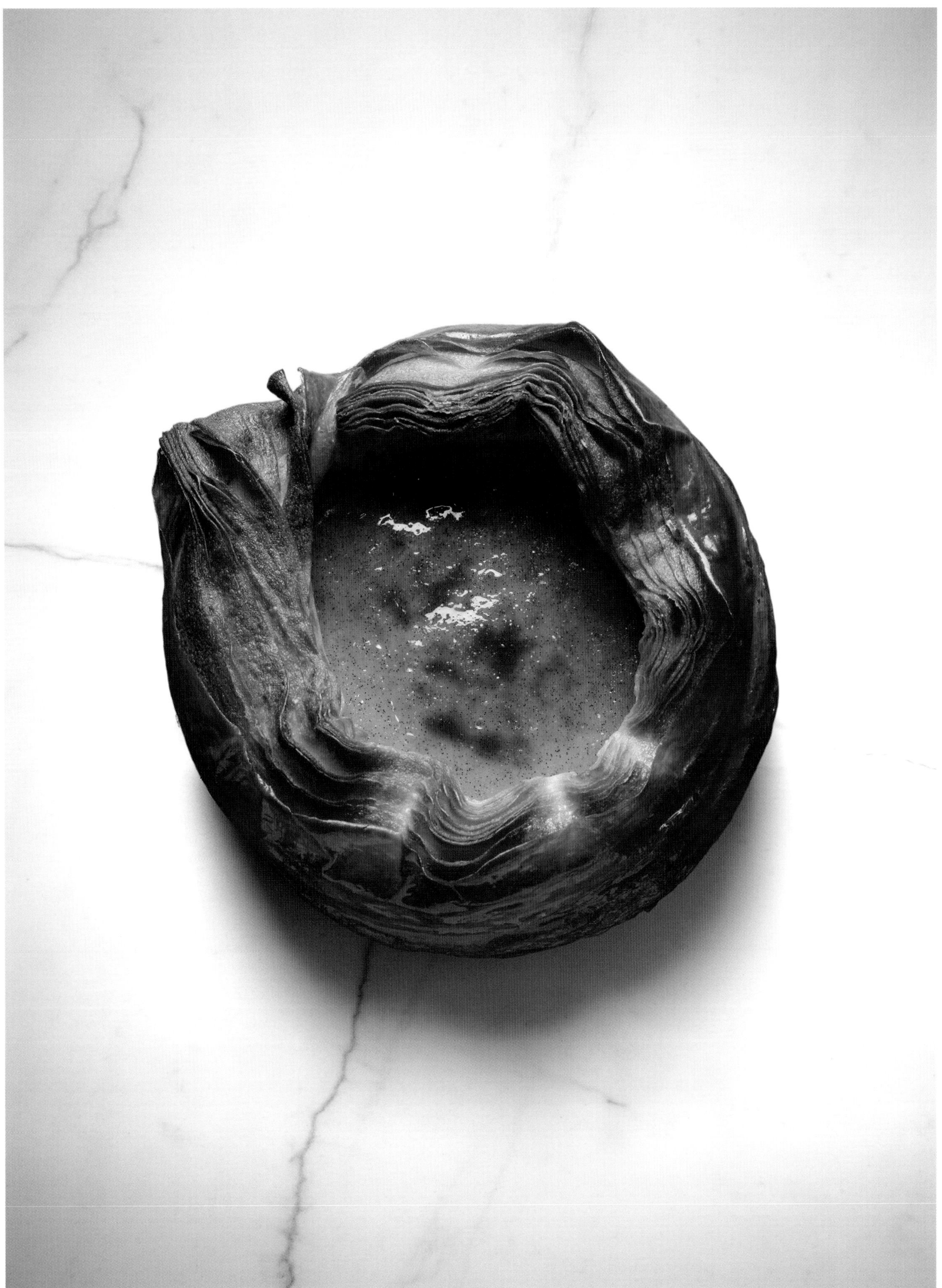

20개(소) 또는 4개(대) 분량 작업시간 : 1시간 10분 조리 : 25분 휴지 : 1시간

페이스트리 플랑
FLANS FEUILLETÉS

브리오슈 퓌유테 반죽
밀가루(T45 박력분) 825g
고운 소금 12g
설탕 50g
달걀 150g
우유 300g
이스트 75g
포마드 상태의 버터 75g
퓌유타주용 저수분 버터 450g

플랑
우유 2kg
마다가스카르산 바닐라 빈 10줄기
설탕 360g
달걀 400g
커스터드 분말 200g
버터 200g
바닐라 빈 가루 25g

FLANS FEUILLETÉS

7H

플랑 퓌유테_페이스트리 플랑

브리오슈 퓌유테 반죽 *Pâte à brioche feuilletée*
p.254의 레시피를 참조하여 브리오슈 퓌유테 반죽을 만든다.

플랑 *Flan*
냄비에 우유와 길게 갈라 긁은 바닐라 빈을 넣고 끓인 다음 핸드블렌더로 모두 갈아준다. 볼에 달걀, 설탕, 커스터드 분말을 넣고 거품기로 휘저어 섞은 뒤 끓는 우유를 붓고 풀어준다. 이것을 다시 냄비에 옮겨 담고 불에 올린다. 끓기 시작하면 바로 불에서 내린다. 버터와 바닐라 빈 가루를 넣고 핸드블렌더로 갈아 혼합한다.

완성하기 *Finitions et cuisson*
오븐을 180°C로 예열한다. 버터를 바르고 설탕을 뿌려둔 링(세르클) 안에 브리오슈 퓌유테 반죽을 테두리 위로 넉넉히 올라오게 둘러준 다음 플랑 혼합물을 붓는다. 틀 위로 올라온 고르지 않은 반죽을 작은 칼로 잘라 매끈하게 다듬는다. 오븐에 넣어 25~30분간 굽는다.

8인분 작업시간 : 25분 조리 : 35분

아몬드 고슴도치 파운드
HÉRISSON AMANDES

파운드케이크 반죽
달걀 4개
밀가루(T55 중력분) 250g
가염 버터 250g
비정제 설탕 150g

아몬드 프랄리네
아몬드 300g
슈거파우더 100g
파넬라(panela) 설탕 50g

완성재료
길게 반으로 자른 아몬드 80g

HÉRISSON

7H

AMANDES
A ND S
AM -S

에리송 아망드_
_아몬드 고슴도치 파운드

파운드케이크 반죽 *Pâte quatre-quart*
p. 256의 레시피를 참조하여 파운드 케이크 반죽을 만든다.

아몬드 프랄리네 *Praliné aux amandes*
오븐을 165°C로 예열한다. 오븐팬에 아몬드를 펼쳐놓고 15분간 오븐에 넣어 로스팅한다. 이어서 아몬드와 파넬라 설탕, 슈거파우더를 푸드 프로세서에 넣고 갈아준다. 짤주머니에 채워 넣는다.

완성하기 *Montage et finitions*
오븐을 180°C로 예열한다. 버터를 발라둔 작은 스펀지 틀에 파운드케이크 반죽을 채운 뒤 오븐에 35분간 굽는다.
오븐에서 꺼낸 뒤 케이크가 뜨거울 때 짤주머니의 깍지를 직접 찔러 넣어 아몬드 프랄리네를 채운다. 반으로 자른 아몬드를 길이로 꽂아 고슴도치와 같이 입체적으로 장식한다.

10개 분량 | 작업시간 : 1시간 30분 | 조리 : 25분 | 휴지 : 10시간 + 7시간 30분

씨앗 페이스트리 롤
ROULÉS AUX CÉRÉALES

크루아상 반죽
밀가루(T45 박력분) 1kg
물 420g
달걀 50g
설탕 100g
이스트 45g
소금 18g
꿀 20g
포마드 상태의 버터 70g
푀유타주용 저수분 버터 400g

크렘 파티시에
우유 900g
생크림 100g
바닐라 빈 4줄기
설탕 180g
커스터드 분말 50g
밀가루 50g
달걀노른자 180g
카카오버터 60g
물에 불린 젤라틴(masse gélatine) 12g
버터 100g
마스카르포네 치즈 60g

씨앗 믹스
아마 씨 120g
해바라기 씨 90g
잣 70g
검은 통깨 55g
흰 통깨 55g
치아 씨 25g

ROULÉS AUX CÉRÉALES

7H

룰레 오 세레알_씨앗 페이스트리 롤

크루아상 반죽 *Pâte à croissant*

전동 스탠드 믹서 볼에 밀가루, 물, 달걀, 설탕, 이스트, 소금, 꿀, 버터를 넣고 도우훅을 장착한다. 속도 1로 약 6분간 반죽하여 데트랑프를 만든다. 반죽을 꺼내 큰 직사각형으로 민 다음 유산지를 깐 베이킹 팬에 놓는다. 냉장고에 넣어 2시간 동안 휴지시킨다.
푀유타주용 버터를 밀대로 두들겨 데트랑프 반죽과 동일한 너비, 절반에 해당하는 길이의 납작한 직사각형을 만든다. 이것을 차가운 데프랑프 반죽 너비에 맞춰 중앙에 놓고 위아래 양끝을 가운데로 접으며 버터를 완전히 덮어 감싼다. 2cm 두께의 직사각형으로 길게 민 다음 3절로 접어 냉장고에 2시간 넣어둔다. 마찬가지 방법으로 3절 밀어접기를 2회 더 반복한다. 사이사이 2시간씩 냉장고에서 휴지시킨다.

크렘 파티시에 *Crème pâtissière*

젤라틴을 찬물에 불린다. 냄비에 우유와 생크림을 넣고 뜨겁게 데운 뒤 길게 갈라 긁은 바닐라 빈과 줄기를 함께 넣고 20분간 향을 우려낸다. 볼에 설탕, 커스터드 분말, 밀가루, 달걀노른자를 넣고 색이 뽀얗게 될 때까지 거품기로 휘저어 섞는다. 우유, 생크림 혼합물을 체에 거르고 다시 뜨겁게 데워 볼의 혼합물에 붓고 섞는다. 이것을 다시 냄비로 옮긴 다음 2분간 끓인다. 불에서 내린 뒤 카카오버터, 물을 꼭 짠 젤라틴을 넣고 섞는다. 이어서 버터, 마스카르포네를 넣는다. 핸드블렌더로 갈아 혼합한 다음 냉장고에 30분간 넣어 재빨리 식힌다.

완성하기 *Montage et finitions*

반죽을 3.5mm 두께의 직사각형으로 민 다음 L자 스패출러를 이용해 크렘 파티시에를 전체적으로 펴 얹는다. 씨앗 믹스를 고루 뿌린 뒤 반죽을 길이 방향으로 김밥처럼 단단하게 말아준다. 냉동실에 20분간 넣어둔다.
반쯤 냉동된 반죽을 4cm 폭으로 자른 뒤 미리 안쪽에 버터를 발라둔 링(세르클)에 하나씩 넣는다. 깨끗한 행주로 덮어 28°C에서 2시간 동안 발효시킨다.
175°C로 예열한 오븐에서 15분간 굽는다.

ROULÉS

10개 분량

작업시간 : 1시간

조리 : 25분

휴지 : 1시간 30분 + 3시간

레몬 페이스트리 롤
ROULÉS CITRON

크루아상 반죽
밀가루(T45 박력분) 1kg
물 420g
달걀 50g
설탕 50g
파넬라 설탕 50g
이스트 45g
소금 18g
꿀 20g
발효종(르뱅) 75g
포마드 상태의 버터 70g
푀유타주용 저수분 버터 400g

레몬 크림
레몬즙 550g
레몬 4개
달걀노른자 180g
설탕 180g
커스터드 분말 50g
밀가루 50g
감자전분 25g
카카오버터 60g
판 젤라틴 6장
버터 100g
마스카르포네 치즈 60g

완성재료
설탕

CiTRON iT N

룰레 시트롱_레몬 페이스트리 롤

크루아상 반죽 *Pâte à croissant*
p.254의 레시피를 참조하여 크루아상 반죽을 만든다.

레몬 크림 *Crème citron*
젤라틴을 찬물에 담가 불린다. 냄비에 레몬즙, 레몬 제스트를 넣고 뜨겁게 데운다. 볼에 달걀노른자, 설탕, 커스터드 분말, 밀가루, 전분을 넣고 색이 뽀얗게 될 때까지 거품기로 휘저어 섞는다. 여기에 뜨거운 레몬즙을 붓고 잘 섞은 뒤 다시 냄비로 모두 옮겨 불에 올린다. 2분간 끓인 뒤 카카오버터를 넣고 잘 섞는다. 물을 꼭 짠 젤라틴을 넣고 잘 저어 녹인다. 이어서 버터, 마지막으로 마스카르포네를 넣어준다. 핸드블렌더로 갈아 혼합한 다음 냉장고에 넣어 재빨리 식힌다. 크림을 유산지 위에 펼쳐 놓고 지름 2cm의 원통형으로 말아준다. 종이 끝을 테이프로 붙여 고정한 다음 냉동실에 1시간 넣어둔다.

완성하기 *Montage et finitions*
반죽을 3.5mm 두께로 민 다음 20cm x 5cm 크기의 띠 모양으로 자른다. 단단하게 굳은 레몬크림을 5cm 길이로 자른다. 이것을 직사각형으로 자른 띠 모양 반죽에 하나씩 넣고 끝까지 돌돌 말아준다. 2시간 동안 발효시킨다.
오븐을 175°C로 예열한다. 버터를 바르고 설탕을 뿌려둔 지름 6cm 링 안에 돌돌 만 반죽을 하나씩 넣고 오븐에서 25분간 굽는다. 오븐에서 꺼낸 뒤 설탕에 굴려 묻힌다.

8인분 작업시간 : 3시간 30분 조리 : 25분 휴지 : 1시간 + 1시간 30분

왕관 페이스트리
COURONNE FEUILLETÉE

브리오슈 푀유테
밀가루(T45 박력분) 825g
고운 소금 12g
설탕 50g
달걀 150g
우유 300g
이스트 75g
포마드 상태의 버터 75g
푀유타주용 저수분 버터 450g

시트러스 향을 낸 푀유타주용 버터
푀유타주용 저수분 버터 450g
라임 제스트 3개분
레몬 제스트 3개분
자몽 제스트 1개분
오렌지 제스트 1개분

쿠론 푀유테_왕관 페이스트리

COURONNE FEUILLETÉE

7H

시트러스 향을 낸 푀유타주용 버터 *Beurre de tourage aux agrumes*
전동 스탠드 믹서 볼에 재료를 모두 넣고 3분간 혼합한다.

브리오슈 푀유테 *Brioche feuilletée*
p.254의 레시피를 참조하여 브리오슈 푀유테 반죽을 만든다.

완성하기 *Montage et cuisson*
얇게 민 반죽을 5cm x 12cm 크기의 띠 모양으로 자른다. 이 띠 모양 반죽을 모두 돌돌 만 다음, 버터를 바르고 설탕을 뿌려둔 왕관 모양 틀에 빙 둘러 채워 넣는다. 26°C에서 1시간 30분간 발효시킨다. 180°C로 예열한 오븐에 25분간 굽는다.

4인분 작업시간 : 15분 조리 : 15분

마들렌 XL
MADELEINE XL

버터 250g
꿀(miel Béton®) 37g
달걀 180g
우유 75g
설탕 65g
밀가루(T45 박력분) 250g
이스트 12g
바닐라 페이스트 5g

MADELEINE XL

7H

마들렌 XL

냄비에 버터를 넣고 갈색이 나기 시작할 때까지 가열한다. 불에서 내린 뒤 꿀을 넣고 잘 저어 녹인다.
오븐을 200°C로 예열한다.
볼에 상온의 달걀과 상온의 우유, 설탕을 넣고 섞는다. 체에 친 밀가루와 이스트, 바닐라 페이스트를 혼합물에 넣어 섞는다. 이어서 상온으로 식은 브라운 버터와 꿀을 넣고 혼합한다. 대형 마들렌 틀에 반죽을 붓는다.
오븐에서 10분간 굽는다. 오븐 안의 마들렌 틀을 돌려 위치를 바꿔 놓은 다음 같은 온도로 5분간 더 굽는다. 오븐을 끄고 그 상태로 마들렌을 4분간 더 두었다 꺼낸다.

8인분 작업시간 : 1시간 조리 : 12~13분 휴지 : 10시간 + 2시간 30분

프랄린 브리오슈
PRALINES EN BRIOCHE

브리오슈 반죽
밀가루(T45 박력분) 1kg
소금 25g
설탕 120g
제빵용 생 이스트 40g
달걀 450g
우유(전유) 150g
버터 500g

완성재료
굵직하게 부순 핑크 프랄린 250g

PRALINES EN 프랄린 앙 브리오슈_

BRIOCHE

_프랄린 브리오슈

브리오슈 반죽 *Pâte à brioche*
p.254의 레시피를 참조하여 브리오슈 반죽을 만든다.

완성하기 *Montage et finitions*
반죽을 350g씩 소분하여 동그랗게 성형한 다음 버터를 발라둔 원형 알루미늄 틀에 각각 넣는다. 상온(약 24°C)에서 2시간 30분간 발효시킨다.
오븐을 170°C로 예열한다. 각 브리오슈 반죽 위에 핑크색 프랄린(pralines roses)를 고루 뿌린 뒤 오븐에서 12~13분 굽는다.

8인분 작업시간 : 15분 조리 : 35분

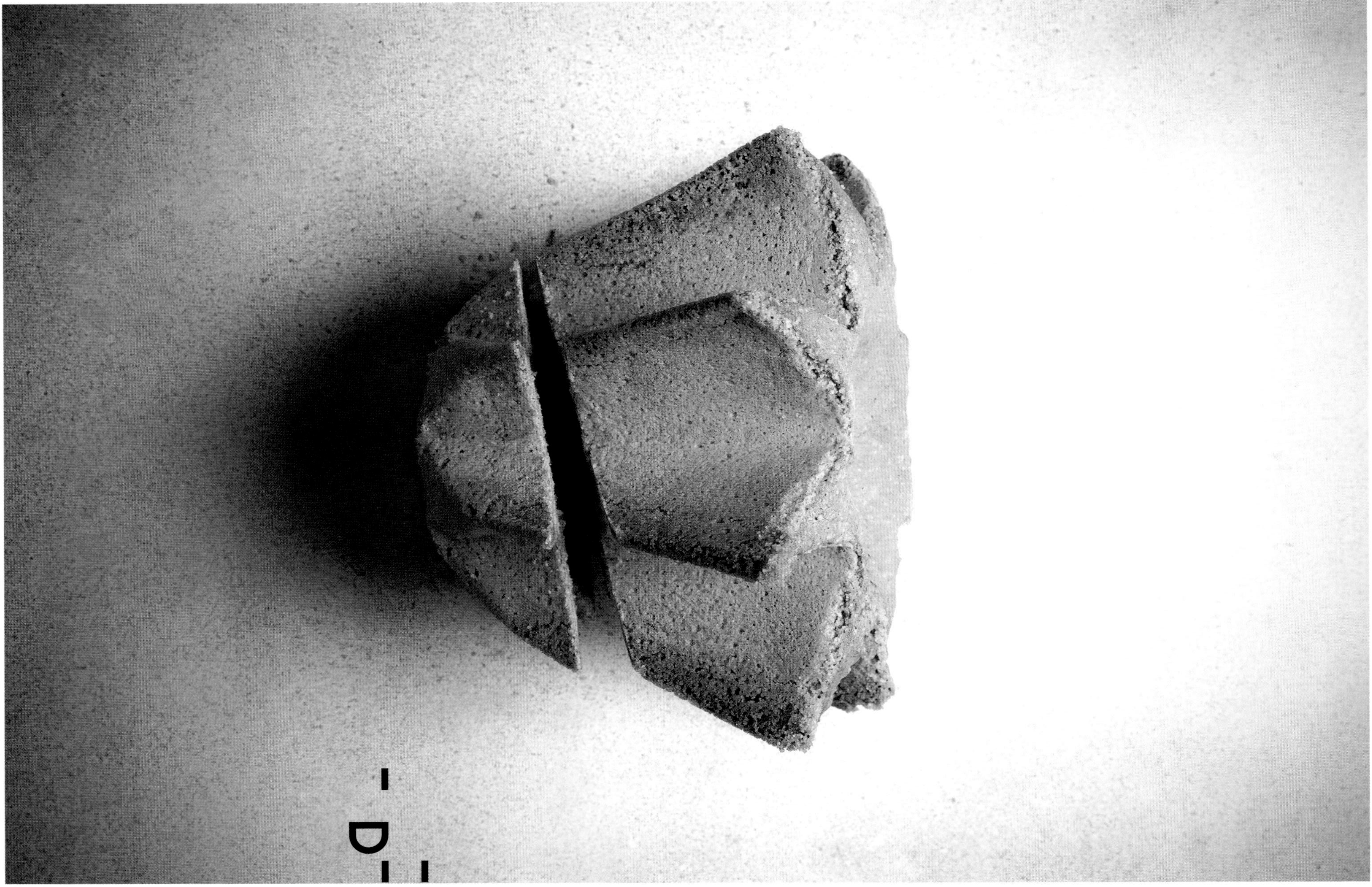

사부아 케이크
GÂTEAU DE SAVOIE

반죽
달걀흰자 290g
파넬라 설탕 150g
밀가루(T45 박력분) 100g
밤 가루 90g
무스코바도 설탕 150g
브라운 버터(beurre noisette) 130g
바닐라 빈 3줄기

완성재료
버터
비정제 황설탕
슈거파우더

GÂTEAU
TE U
T AU
U

7H

-

DE 가토 드 사부아_사부아 케이크 SAVOIE

반죽 *Pâte*
전동 스탠드 믹서 볼에 달걀흰자를 넣고 플랫비터를 돌린다. 파넬라 설탕을 넣고 단단하게 거품을 올린다. 밀가루, 무스코바도 설탕, 브라운 버터, 길게 갈라 긁은 바닐라 빈 가루를 넣고 잘 섞는다.

완성하기 *Finitions et cuisson*
오븐을 175°C로 예열한다. 버터를 바르고 설탕을 뿌려둔 큰 별모양 틀 안에 반죽을 붓는다. 반죽 위에 슈거파우더를 뿌린다. 오븐에서 35분간 구운 뒤 꺼내서 틀을 제거하고 망에 올려 식힌다.

10개 분량

작업시간 : 40분

조리 : 35분

휴지 : 10시간 + 24시간 + 45분

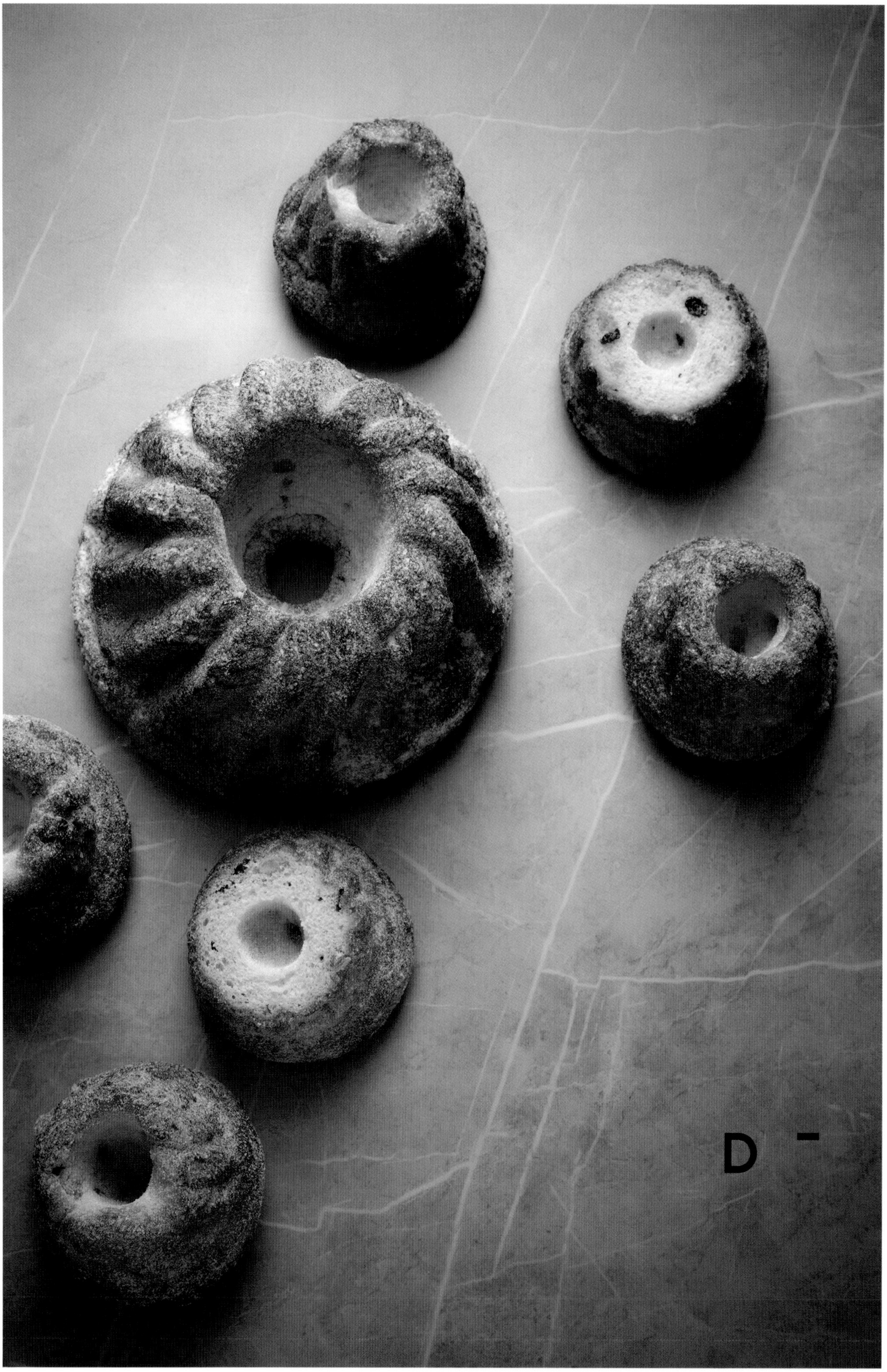

D -

설탕을 뿌린 쿠겔호프
KOUGLOFS POUDRÉS

브리오슈 반죽
밀가루(T45 박력분) 1kg
소금 25g
설탕 120g
제빵용 생 이스트 40g
달걀 450g
우유(전유) 150g
버터 500g
황금색 건포도 100g
검은색 건포도 100g
럼 48g
레몬 제스트 2개분
오렌지 제스트 2개분

완성재료
설탕

KOUGLOFS POUDRÉS 쿠글로프 푸드레

7H

설탕을 뿌린 쿠겔호프

브리오슈 반죽 *Pâte à brioche*
하루 전날 p.254의 레시피를 참조하여 브리오슈 반죽을 만든다. 건포도를 끓는 물에 2~3분간 데친 뒤 건져둔다. 건포도와 오렌지 제스트, 레몬 제스트를 반죽에 넣고 섞는다. 24시간 동안 냉장고에 넣어 휴지시킨다.

완성하기 *Finitions et cuisson*
오븐을 180°C로 예열한다. 반죽을 소분해 둥글게 뭉친 뒤, 미리 버터를 바르고 설탕을 뿌려둔 작은 쿠겔호프 틀에 넣는다. 상온에서 45분간 발효시킨다. 오븐에 넣어 35분간 굽는다. 오븐에서 꺼내 틀을 제거한 뒤 설탕에 굴려 묻힌다.

6개 분량

작업시간 : 30분

조리 : 4분

휴지 : 2시간

P

PAN

팬케이크
PANCAKES

밀가루 400g
설탕 150g
소금 2g
베이킹파우더 10g
달걀 8개
우유 500g
버터 100g
바닐라 빈 1줄기
오렌지 제스트 2개분

CAKES S

7H

팬케이크

전동 스탠드 믹서 볼에 밀가루, 설탕, 소금, 베이킹파우더를 넣고 거품기로 잘 섞는다. 냄비에 버터와 우유를 넣고 따뜻한 온도로 녹인 뒤 믹싱볼 안에 붓는다. 달걀을 넣고 모두 섞는다. 길게 갈라 긁은 바닐라 빈과 오렌지 제스트를 넣고 잘 혼합한다. 냉장고에 넣어 2시간 동안 휴지시킨다.
버터를 두른 팬 중앙에 반죽을 한 국자씩 붓고 팬을 빙 돌려 팬케이크를 한 장 한 장 부친다. 팬케이크는 도톰하게 부치는 것이 좋다. 한쪽 면이 노릇하게 익으면 뒤집어 다른 쪽 면을 몇 분간 더 익힌다.

8인분

작업시간 : 15분

조리 : 35분

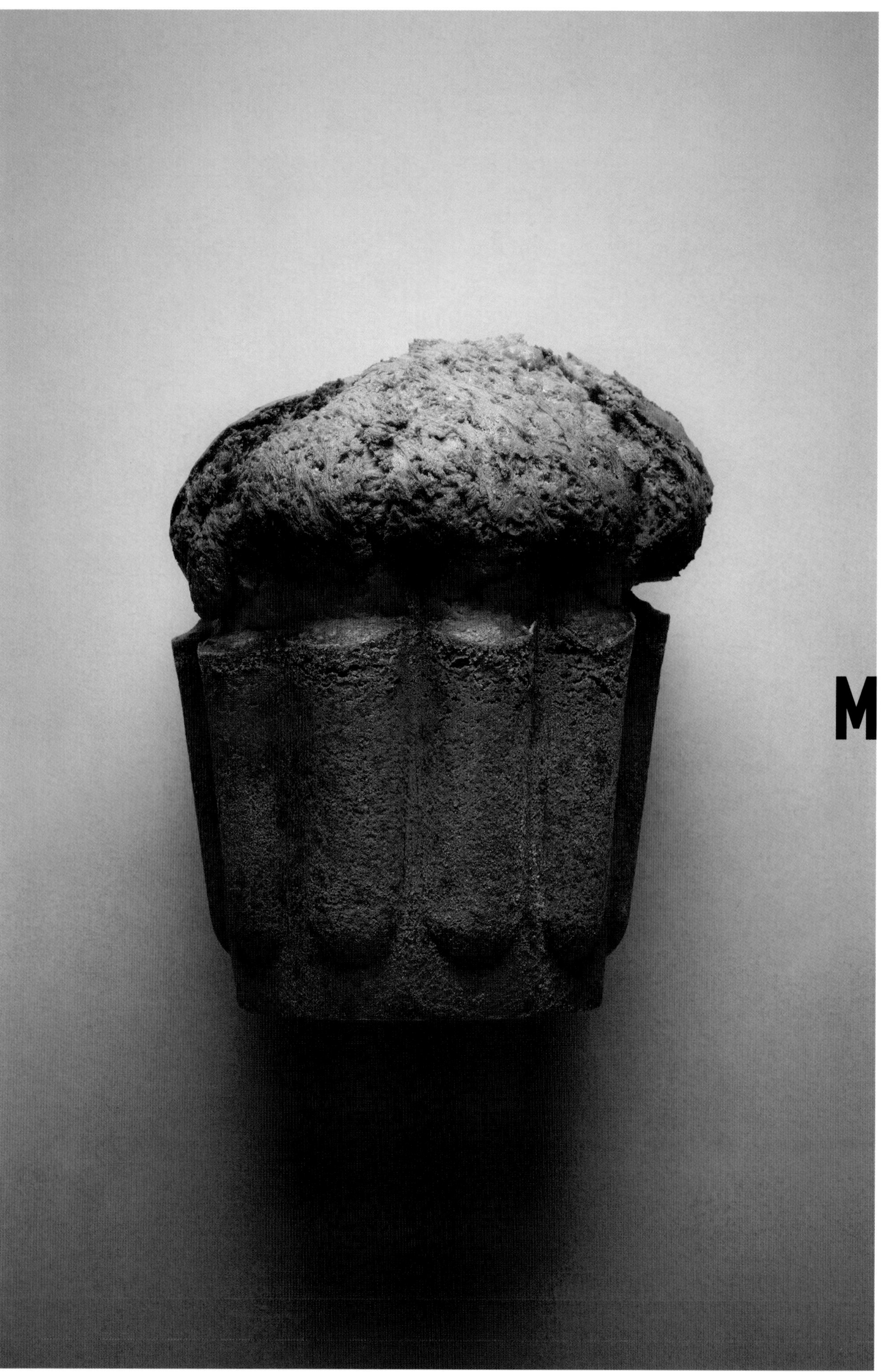

M

요거트 케이크
GÂTEAU AU YAOURT

밀가루 160g
달걀 4개
농장 생산 요거트 150g
베이킹파우더 20g
올리브오일 20g
비정제 황설탕 150g
버터 80g

GÂTEAU AU YAOURT

DE MAMAN CHANTAL

갸토 오 야우르트_요거트 케이크

오븐을 180°C로 예열한디.
전동 스탠드 믹서에 플랫비터를 장착하고 볼에 재료를 하나씩 넣어가며 균일한 반죽이 될 때까지 혼합한다. 반죽을 원하는 모양의 구리틀 또는 양철 틀에 붓고 오븐에 35분간 굽는다.

10인분 작업시간 : 30분 조리 : 45분 휴지 : 15분

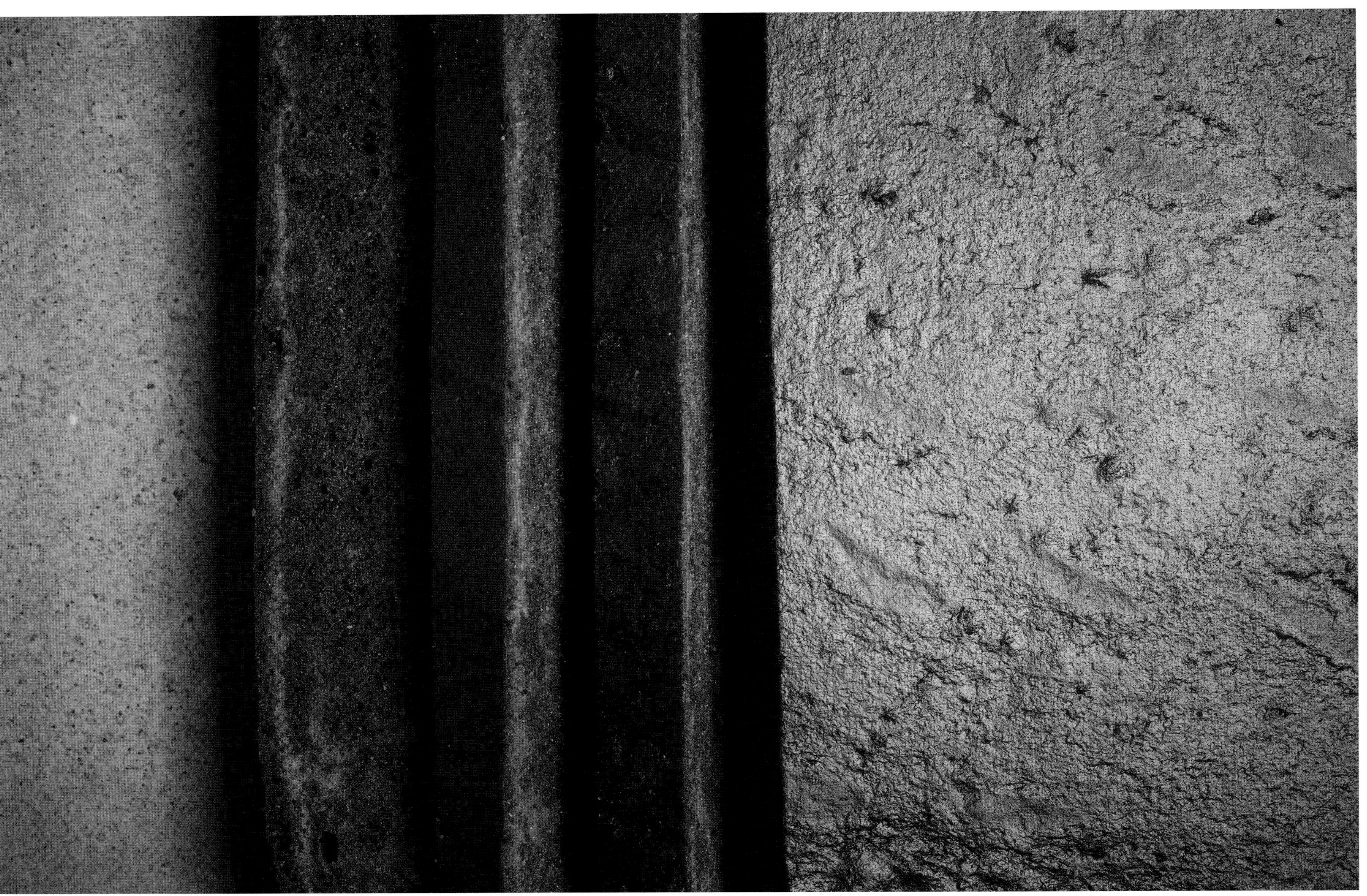

초콜릿 바닐라 마블 파운드케이크
CAKE MARBRÉ CHOCOLAT VANILLE

초콜릿 파운드케이크
달걀 200g
전화당(트리몰린) 60g
설탕 100g
아몬드가루 60g
밀가루(T45 박력분) 95g
베이킹파우더 7g
코코아가루 20g
생크림(UHT) 95g
포도씨유 60g
과나하(Guanaja) 초콜릿 40g

바닐라 파운드케이크
달걀 200g
전화당(트리몰린) 60g
설탕 100g
아몬드가루 60g
밀가루(T45 박력분) 115g
베이킹파우더 7g
생크림(UHT) 100g
포도씨유 60g
바닐라 빈 2줄기
화이트 초콜릿 40g

포마드 버터
버터 15g

M MARBRÉ R

케크 마르브레 쇼콜라 바니유_초콜릿 바닐라 마블 파운드케이크

초콜릿 파운드케이크 *Cake chocolat*
우선 전동 스탠드 믹서 볼에 달걀, 전화당, 설탕, 아몬드가루를 넣고 플랫비터를 돌려 혼합한다. 다른 볼에 밀가루, 베이킹파우더, 코코아가루를 혼합한 뒤 첫 번째 믹싱볼에 넣어 섞는다. 여기에 상온의 생크림을 넣고 전부 혼합한다. 포도씨유를 첨가한다. 마지막으로, 중탕으로 녹인 과나하 초콜릿을 넣고 잘 섞어준다.

바닐라 파운드케이크 *Cake vanille*
초콜릿 파운드케이크와 마찬가지 방법으로 재료를 혼합한다. 이어서 길게 갈라 긁은 바닐라 빈 가루와 녹인 화이트 초콜릿을 첨가한다. 위의 레시피와 마찬가지로 반죽을 만든다.

완성하기 *Marbrage et finitions*
미리 버터를 발라둔 파운드케이크 틀에 초콜릿 파운드 반죽을 깔고 그 위에 바닐라 반죽을 얹는다. 같은 방법으로 2번 더 반복하여 교대로 쌓아 올린다(총 6겹). 반죽에 칼을 세로로 꽂고 지그재그를 그리며 마블링을 해준다.
상온에 두어 부드러워진 버터를 휘저어 포마드 상태로 만든 뒤 깍지 없는 짤주머니에 채운다. 끝을 잘라 구멍을 낸 다음 파운드케이크 중앙에 길게 한 줄 짜 얹는다.
컨벡션 오븐을 180°C로 예열한다. 케이크를 넣고 20분간 굽는다. 이어서 오븐 온도를 160°C로 낮춘 뒤 25분간 더 굽는다.

셰프의 팁
반죽이 달라붙지 않도록 틀에 버터를 바르고 밀가루를 뿌려둔다.
15분간 휴지시킨 후에 먹는다.

11H

10개 분량 | 작업시간 : 1시간 30분 | 조리 : 25분 | 휴지 : 1시간 30분

키르슈 캐러멜 슈
DIVORCÉS

슈 반죽
우유 150g
물 150g
전화당(트리몰린) 18g
소금 6g
버터 132g
밀가루 180g
달걀 6개

키르슈 크렘 파티시에
우유 450g
액상 생크림 50g
바닐라 빈 2줄기
달걀노른자 90g
설탕 90g
커스터드 분말 25g
밀가루 25g
카카오버터 30g
판 젤라틴 4장
버터 50g
마스카르포네 치즈 30g
키르슈 60g

캐러멜
설탕 100g
물 40g
글루코스 시럽(물엿) 10g

DIVORCÉS

디보르세_키르슈 캐러멜 슈

11H

슈 반죽 *Pâte à choux*
p.257의 레시피를 참조하여 슈 반죽을 만든다.

키르슈 크렘 파티시에 *Crème pâtissière kirsch*
p.259의 레시피를 참조하여 크렘 파티시에를 만든다. 지름 6mm 원형 깍지를 끼운 짤주머니에 채워 넣는다.

캐러멜 *Caramel*
냄비에 설탕, 물, 글루코스 시럽을 넣고 끓여 짙은 갈색의 캐러멜을 만든다.

완성하기 *Montage et finitions*
오븐을 180°C로 예열한다. 지름 12mm 별 깍지를 끼운 짤주머니에 슈 반죽을 채운 뒤 유산지를 깐 베이킹 팬 위에 14cm 크기의 길쭉한 물방울 모양으로 짜 놓는다. 오븐에 넣어 25분간 굽는다.
오븐에서 꺼낸 뒤 10분간 식힌다. 짤주머니의 깍지를 슈의 아래쪽에 찔러 넣어 키르슈 크렘 피티시에를 채워 넣는다. 이어서 칼을 아래쪽으로 찔러 슈를 든 다음 반쪽에만 캐러멜을 묻힌다. 여유분은 살짝 털어낸다.

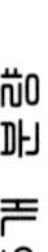

6개 분량

작업시간 : 45분

조리 : 36분

휴지 : 24시간

BA

시트러스 바바
BABA AGRUMES

바바 반죽
이스트 17g
밀가루(T55 중력분) 450g
소금 4g
버터 140g
꿀 17g
달걀 500g
우유(전유) 25g

바바 시럽
물 1리터
설탕 500g
바닐라 빈 2줄기
오렌지 제스트 2개분
레몬 제스트 2개분
다크 럼 250g

살구 나파주
살구 퓌레 400g
글루코스 시럽(물엿) 75g
설탕 150g
펙틴(pectine NH) 6g

바닐라 휩드 크림
바닐라 빈 1줄기
생크림 300g
설탕 30g

BABA AGRUMES

\- B

바바 아그륌_ 시트러스 바바

11H

바바 반죽 *Pâte à baba*
p.256의 레시피를 참조하여 바바 반죽을 만든다.

바바 시럽 *Sirop à baba*
냄비에 재료를 모두 넣고 끓인 뒤 25분간 향을 우려낸다. 체에 거른다.

살구 나파주 *Nappage abricot*
냄비에 살구 퓌레와 글루코스 시럽을 넣고 따뜻한 온도로 가열한다. 설탕과 펙틴을 혼합해 냄비에 넣고 잘 섞은 다음 몇 분간 끓인다. 차갑게 보관한다.

바닐라 휩드 크림 *Crème moelleuse vanillée*
생크림은 하루 전에 준비한다. 바닐라 빈을 길에 갈라 긁는다. 크림에 설탕과 바닐라 빈 줄기를 넣고 섞은 뒤 체에 내린다. 여기에 바닐라 빈 가루를 넣고 냉장고에 넣어 24시간 동안 향을 우려낸다.

완성하기 *Montage et finitions*
오븐을 180°C로 예열한다. 도넛 모양의 틀(Pavoni® 제품)에 반죽을 350g씩 채워 넣는다. 오븐에 넣어 15분 구운 뒤 온도를 160°C로 낮추고 15분, 다시 140°C로 낮춘 다음 6분을 더 굽는다. 꺼내서 틀을 제거한다.
바바 시럽을 45°C까지 데운 다음 바바를 45분간 담가둔다. 건져서 망에 올려 잉여분의 시럽이 흘러내리도록 둔다.
살구 나파주를 끓인 다음 붓으로 바바에 발라준다.
바닐라 향이 우러난 생크림을 휘핑하여 샹티이 크림을 만든다. 바바에 곁들여 서빙한다.

8인분(틀 2개 분량)　작업시간 : 15분　조리 : 25분

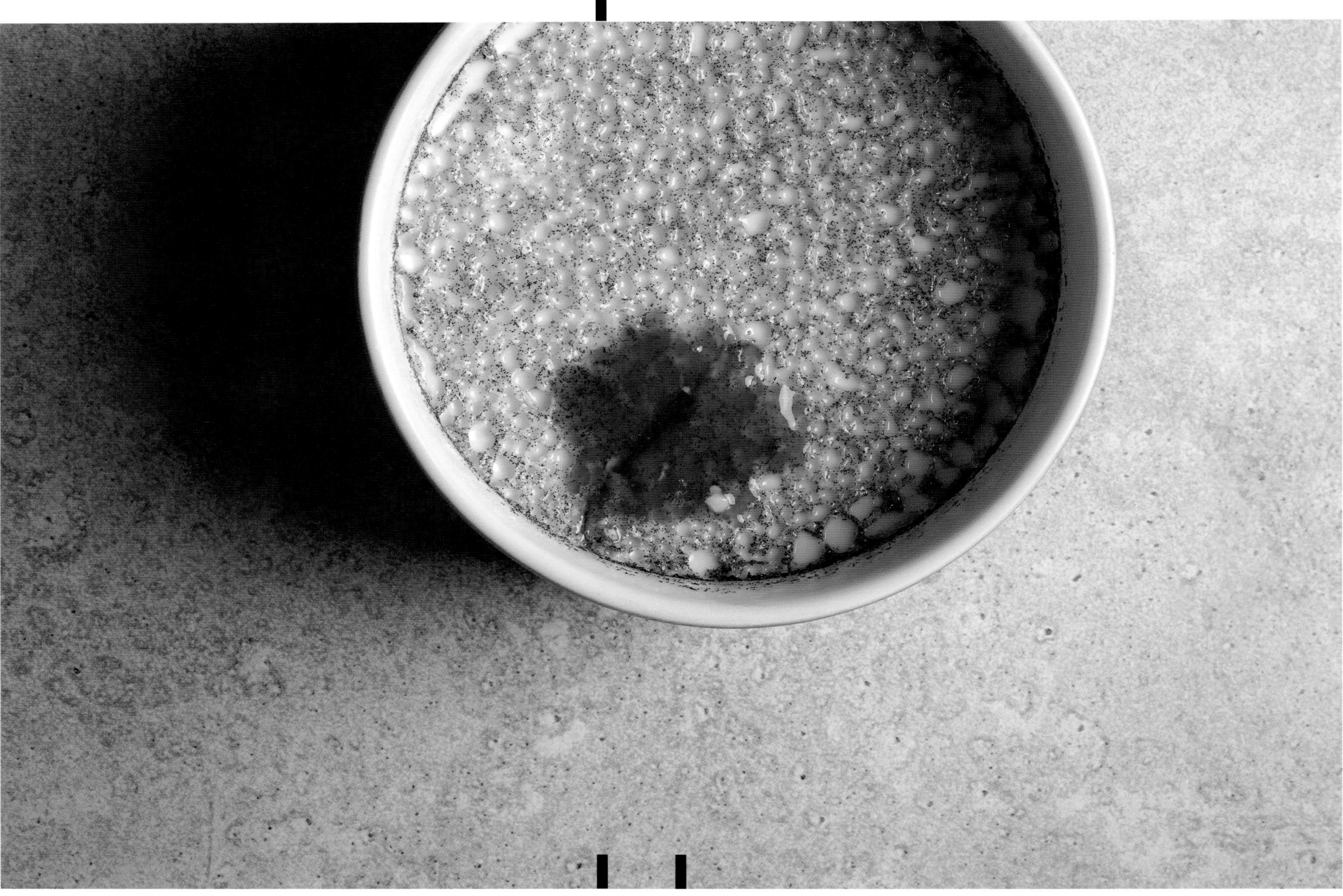

크렘 카라멜
CRÈME CARAMEL DE MAMIE COCOTTE

우유 1리터
설탕 150g
달걀 8개
바닐라 빈 2줄기

캐러멜
설탕 500g

CRÈME CARAMEL
크렘 카라멜 드 마미 코코트_

DE MAMIE COCOTTE
_크렘 카라멜

오븐을 200°C로 예열한다.
냄비에 설탕을 넣고 가열해 캐러멜을 만든다. 캐러멜을 틀 바닥에 부어 고루 깔아준다. 달걀과 설탕을 거품기로 저어 혼합한 뒤, 바닐라 빈을 넣고 끓인 우유를 붓고 잘 섞는다. 캐러멜을 깐 틀에 우유 혼합물을 붓는다. 중탕용 물이 담긴 바트에 이 틀을 넣고 오븐에서 중탕으로 25분간 익힌다.

8인분 작업시간 : 30분 조리 : 35분 휴지 : 30분

클라푸티
CLAFOUTIS

클라푸티 반죽
달걀 100g
설탕 100g
소금 1g
아몬드가루 100g
밀가루 30g
비멸균 더블크림
(crème Borniambuc®) 300g

크럼블
밀가루(T45 박력분) 110g
설탕 75g
버터 110g

래미킨 1개당 완성재료
버터 10g
고춧가루 2g
아몬드 10g
비정제 황설탕 3g
클라푸티 반죽 300g
체리 100g
크럼블 12g
아몬드 슬라이스 10g

완성재료
슈거파우더

F 'S

L FOU 'S

CLAFOUTiS

11H

클라푸티

클라푸티 반죽 *Pâte à clafoutis*
전동 스탠드 믹서 볼에 달걀, 설탕, 소금, 아몬드가루, 밀가루를 넣고 플랫비터를 돌려 섞는다. 마지막에 더블크림을 넣어준다.

크럼블 *Crumble*
p.256의 레시피를 참조하여 크럼블을 만든다.

완성하기 *Montage et finitions*
오븐을 165°C로 예열한다. 지름 10cm 원형틀에 버터를 바르고 고춧가루, 아몬드, 비정제 황설탕을 뿌린다. 클라푸티 반죽을 채운 뒤 체리의 3/4을 반으로 자르고 씨를 빼 놓는다. 크럼블로 덮고 아몬드 슬라이스를 뿌린다.
오븐에서 25분간 굽는다. 나머지 체리 1/4을 위에 얹은 뒤 다시 오븐에 넣어 10분간 더 굽는다. 슈거파우더를 뿌리고 아주 뜨거운 오븐에 30초간 넣었다 꺼낸다.

COR iLLES DE F CORBE S DE RUiTS
CORBEiLL DE F CORBE E FRU S
CORBEiLLE DE F CO S DE FR i S
CORBEiLLES UiTS S DE F i S
O BEiLLES E FRUiTS CO 코르베유 드 프뤼
C RBEiLLE D F UTS CO
COR EiL ES E F O
CORBEiLLES DE FRUiTS C
CORBEiLLES DE FRUiTS RBEi
ORBEiLLES DE FRUi S BEi L S
O BEiLLES DE FRUiTS RBEiL E F UT
C RBEiLLES DE FRUiTS C BEiL ES DE UiTS
COR EiLLES DE F iTS CO ELLE DE FRUiTS
CO EiLLES DE C RB LES E FRUiTS
CORBE LES D R i E DE FRUiTS
CORB i ES E F L DE FRUiTS
iLLES E F Ui ES E FRUiTS
i ES DE FR iTS
B iLL F i
CO O B i LE D UiT
C ORBEiLLES DE FRUiT
COR i LE DE C R EiLLES DE FRUiT
C RBE LL S S COR EiLLES DE FRUi
CORBEiLLE D S B iLLES DE FRUiTS
CORBEiLLES E CO EiL ES D FRUiTS
CORBEiLL E FRUiT O BEiLL E FRUiTS
CORBEiLLES DE FRUiTS i E FRUiTS
CORBEiLLES DE FRUiTS O BEiL E FRUiTS

6인분 작업시간 : 40분 조리 : 20분 휴지 : 4시간 + 1시간

과일 타르트
CORBEILLES DE FRUITS

파트 쉬크레
버터 150g
슈거파우더 95g
아몬드 가루 30g
소금(sel de Guérande) 1g
바닐라 가루 1g
달걀 1개
밀가루(T55 중력분) 250g

아몬드 크림
버터 50g
설탕 50g
아몬드 가루 50g
달걀 50g

크렘 파티시에
우유 450g
액상 생크림 50g
달걀노른자 90g
설탕 90g
커스터드 분말 25g
밀가루 25g
카카오버터 30g
판 젤라틴 5장
버터 50g
마스카르포네 치즈 30g
바닐라 빈 2줄기

라즈베리 잼
냉동 라즈베리 250g
설탕 150g
펙틴(pectine NH) 5g
레몬즙 10g

완성재료
생 라즈베리 500g

L CORBEILLES DE FRUITS
코르베유 드 프뤼_과일 타르트

파트 쉬크레 *Pâte sucrée*
p.257의 레시피를 참조하여 파트 쉬크레를 만든다.

아몬드 크림 *Crème d'amande*
p.259의 레시피를 참조하여 아몬드 크림을 만든다.

크렘 파티시에 *Crème pâtissière*
p.259의 레시피를 참조하여 크렘 파티시에를 만든다.

라즈베리 잼 *Confiture de framboise*
p.281의 레시피를 참조하여 라즈베리 잼을 만든다.

완성하기 *Montage et finitions*
파트 쉬크레 반죽을 2.5mm 두께로 민 다음 버터를 얇게 발라둔 사방 7cm, 높이 2cm 정사각형 프레임 틀에 앉힌다. 냉동실에 1시간 넣어둔다.
160°C로 예열한 오븐에 넣어 파트 쉬크레 시트만 20분 굽는다.
구워낸 시트 바닥에 아몬드 크림을 채운 뒤 크렘 파티시에를 넣고 맨 위에 라즈베리 잼을 바른 뒤 매끈하게 밀어준다. 생 라즈베리를 얹어 장식한다.

8인분 작업시간 : 40분 조리 : 15분

S

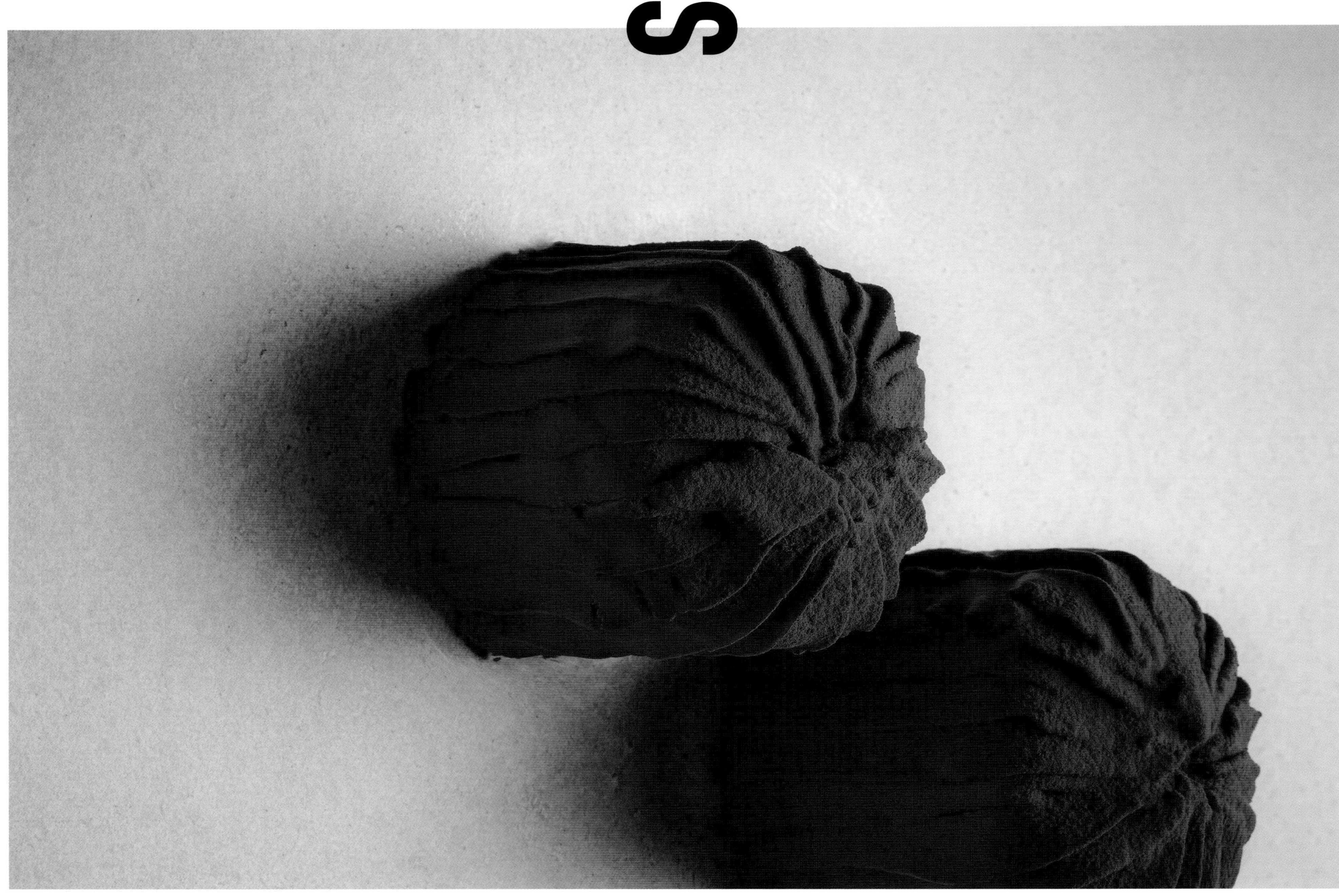

미니 초콜릿 자허 케이크
SACHERS

초콜릿 스펀지
달걀흰자 180g
설탕 60g
슈거파우더 160g
아몬드가루 160g
코코아가루 100g
밀가루 40g

초콜릿 가나슈
액상 생크림 600g
글루코스 시럽(물엿) 87g
카카오 87% 다크초콜릿 580g
우유 분말 40g
코코아가루 25g

완성재료
카카오닙스 5g
코코아가루 20g

SACHERS

11H

자허 _ 미니 초콜릿 자허 케이크

초콜릿 스펀지 *Biscuit chocolat*
핸드믹서로 달걀흰자의 거품을 올린다. 설탕을 넣고 계속 거품기를 돌려 머랭을 만든다. 슈거파우더, 아몬드가루, 코코아가루, 밀가루를 모두 체에 친 다음 머랭에 넣고 살살 섞어준다. 오븐을 165℃로 예열한다. 유산지를 깐 베이킹 팬에 반죽을 펼쳐 놓은 뒤 오븐에서 15분간 굽는다.

초콜릿 가나슈 *Ganache chocolat*
냄비에 생크림 분량의 1/2과 글루코스 시럽을 넣고 가열한다. 여기에 초콜릿, 우유 분말, 코코아가루, 나머지 생크림을 넣어준다. 핸드블렌더로 갈아 혼합한 뒤 스텐 용기에 보관한다.

완성하기 *Montage et finitions*
지름 6cm, 높이 11cm의 링(세르클)에 재료를 조립한다. 우선 링 지름 크기로 스펀지 시트를 잘라낸다. 스펀지 시트와 초콜릿 가나슈를 교대로 쌓아 틀을 채운 뒤 맨 위에 카카오닙스를 뿌린다.
생토노레 깍지를 끼운 짤주머니에 초콜릿 가나슈를 채운 뒤 케이크 옆면의 아래에서 위쪽 방향으로 짜 덮어 윗면 중앙에서 마무리한다. 코코아가루를 뿌려 완성한다.

10개 분량

작업시간 : 1시간 20분

조리 : 35분

휴지 : 2시간

화이트 포레스트 케이크
FORÊTS BLANCHES

플뢰르 드 셀 사블레
과나하(Guanaja) 초콜릿 190g
버터 190g
비정제 황설탕 150g
설탕 60g
액상 바닐라 2g
소금(플뢰르 드 셀) 3g
밀가루 220g
코코아가루 35g
베이킹소다 2g

밀가루를 넣지 않은 초콜릿 스펀지
달걀노른자 135g
설탕 210g
달걀흰자 190g
코코아가루 60g

플뢰르 드 셀 크리스피
플뢰르 드 셀 사블레 반죽 450g
초콜릿 50g
카카오버터 15g

키르슈 휩드 가나슈
액상 생크림 950g
화이트 초콜릿 210g
판 젤라틴 4장
키르슈 60g

그리요트 체리 인서트
그리요트(griotte) 체리 퓌레 1kg
잔탄검 13g
씨를 제거한 냉동 그리요트 체리 1.5kg
키르슈에 담근 그리요트 체리 250g

화이트 초콜릿 코팅
카카오버터 200g
화이트 초콜릿 200g

장식재료
데커레이팅 슈거파우더(Codineige)

FORÊTS -

포레 블랑슈_화이트 포레스트 케이크

11H

플뢰르 드 셀 사블레 *Sablé fleur de sel*
푸드 프로세서에 초콜릿을 넣고 분쇄한다. 전동 스탠드 믹서 볼에 부드러워진 버터, 비정제 황설탕, 설탕, 액상 바닐라, 소금(플뢰르 드 셀)을 넣고 플랫비터를 돌려 혼합한다. 밀가루, 코코아가루, 베이킹소다를 모두 체에 친 다음 혼합물에 넣어 섞는다. 이어서 잘게 분쇄한 과나하 초콜릿을 넣고 균일하게 섞는다. 반죽을 덜어내어 3mm 두께로 민다.

밀가루를 넣지 않은 초콜릿 스펀지
Biscuit chocolat sans farine
전동 스탠드 믹서 볼에 달걀노른자와 설탕 분량 1/2을 넣고 플랫비터를 돌려 혼합한다. 다른 볼에 달걀흰자와 나머지 반의 설탕을 넣고 거품을 올린다. 두 혼합물을 섞은 뒤 코코아가루를 넣어준다. 오븐을 180°C로 예열한다. 반죽을 5mm로 얇게 민 다음 오븐에서 약 20분간 굽는다.

플뢰르 드 셀 크리스피 비스퀴
Biscuit croustillant à la fleur de sel
오븐을 165°C로 예열한다. 베이킹 팬에 플뢰르 드 셀 사블레 반죽을 펼쳐 놓고 오븐에서 12~13분간 굽는다. 사블레를 오븐에서 꺼낸 뒤 잘게 부순다. 냄비에 초콜릿과 카카오버터를 넣고 중탕으로 녹인 다음 잘게 부순 사블레 450g과 섞는다(나머지 사블레는 완성단계에서 바닥 시트용으로 사용한다).

키르슈 휩드 가나슈 *Ganache montée kirsch*
판 젤라틴을 찬물에 담가 불린다. 냄비에 생크림의 반을 넣고 뜨겁게 가열한 다음 미리 녹여둔 화이트초콜릿과 물을 꼭 짠 젤라틴 위로 체에 거르며 붓는다. 여기에 나머지 생크림과 키르슈를 넣고 핸드블렌더로 갈아 유화한다.

그리요트 체리 인서트 *Insert griotte*
볼에 그리요트 체리 퓌레와 잔탄검을 넣고 핸드블렌더로 갈아준다. 키르슈에 담은 그리요트 체리를 건져서 넣은 뒤 블렌더로 간다. 짤주머니에 넣어 보관한다.

화이트 초콜릿 코팅 *Enrobage chocolat blanc*
냄비에 카카오버터를 뜨겁게 데운 뒤 화이트 커버처 초콜릿 위에 붓고 핸드블렌더로 갈아 혼합한다. 상온에 보관한다.

완성하기 *Montage et finitions*
전동 스탠드 믹서 볼에 키르슈 가나슈를 넣고 거품기로 휘핑한 다음 짤주머니에 채워 넣는다. 지름 6.5cm, 높이 7cm 크기의 링 바닥에 플뢰르 드 셀 사블레를 깔아준다. 키르슈 휩드 가나슈를 바닥과 링 벽에 바른 뒤 동그랗게 잘라둔 초콜릿 스펀지를 놓는다. 중앙에 그리요트 체리 인서트를 짤주머니로 짜 넣은 뒤 플뢰르 드 셀 크리스피 비스퀴를 링 모양으로 채운다. 휩드 가나슈로 덮어준다.
L자 스패출러로 가장자리를 매끈하게 다듬는다. 냉동실에 2시간 넣어둔다. 스프레이 건을 사용해 화이트 초콜릿을 분사해 코팅한다. 데커레이팅용 슈거파우더를 뿌린 뒤 키르슈에 담근 그리요트 체리를 한 개 얹어 완성한다.

BLANCHES

FRAiSi FRA S RS iERS
FRA Ai ERS
FRA Sic S FR iERS
FRAi i F Ai iERS iSiERS
FR S AiS E AiSiERS
FR S F iSiERS
프레지에 ic FR iSiERS
FR iS S F i iERS FRAi i
FRAiSi R F Ai i
FRAiSiERS AiSiE
FRAiSi S FR
FRAiSiERS FR F
FRAiSiERS FRAiSi F ic
FRAiSiERS FRAi FR iERS
FRAiSicRS F SicRS FRAi RS
FRAiS AiSE S FR RS
FRAi AiSiERS F i iE S
FRAiSi S FR iRS F AiSiERS

작업시간 : 1시간 30분

조리 : 10분

휴지 : 2시간

6인분

딸기 케이크
FRAISIERS

비스퀴 아 라 퀴예르

달걀노른자 6개분
달걀흰자 6개분
설탕 164g
밀가루 164g
설탕
슈거파우더

바닐라 휩드 가나슈

액상 생크림 1리터
타히티산 바닐라 빈 32g
화이트 초콜릿 200g
판 젤라틴 5장

크렘 파티시에

우유 450g
액상 생크림 50g
바닐라 빈 2줄기
설탕 90g
커스터드 분말 25g
밀가루 25g
달걀노른자 90g
카카오버터 30g
판 젤라틴 4장
버터 50g
마스카르포네 치즈 30g

프레지에 크림

바닐라 가나슈 450g
크렘 파티시에 600g

딸기 젤

딸기 즙 300g
설탕 30g
한천 가루(agar-agar) 4g
잔탄검 1g
수비드 조리 딸기 340g
(밀폐 유리병에 넣어 90℃에서
1시간 동안 수비드로 익힌다)
생 딸기 200g

완성재료

키르슈
딸기 아몬드 페이스트 500g
생 딸기 300g

089

프레지에_딸기 케이크

11H

비스퀴 아 라 퀴예르 *Biscuit à la cuillère*
전동 스탠드 믹서 볼에 우선 달걀노른자와 설탕 분량의 반을 넣고 거품기로 섞는다. 다른 볼에 달걀흰자를 넣고 거품을 올린다. 남은 설탕 분량을 넣어가며 단단하게 거품을 올린다. 이 두 혼합물을 합한 뒤 밀가루를 넣고 실리콘 주걱으로 살살 섞는다. 설탕과 슈거파우더를 뿌린다. 오븐을 180°C로 예열한다. 반죽을 베이킹 팬에 2mm 두께로 펼친 뒤 오븐에서 10분간 굽는다.

바닐라 휩드 가나슈 *Ganache montée vanille*
판 젤라틴을 물에 담가 불린다. 냄비에 생크림과 바닐라를 넣고 끓인 뒤 불을 끄고 그대로 25분간 향을 우려낸다. 미리 중탕으로 녹여둔 화이트 초콜릿에 바닐라 향이 우러난 뜨거운 생크림을 붓고 물을 꼭 짠 젤라틴을 넣어준다. 핸드블렌더로 갈아 혼합한 뒤 체에 걸러 냉장고에 보관한다.

크렘 파티시에 *Crème pâtissière*
p.259의 레시피를 참조하여 크렘 파티시에를 만든다.

프레지에 크림 *Crème fraisier*
전동 스탠드 믹서 볼에 바닐라 가나슈를 넣고 거품기로 휘핑한다. 이것을 크렘 파티시에와 섞는다.

딸기 젤 *Gel fraise*
냄비에 딸기 즙을 끓인 뒤 설탕과 한천 가루를 넣어 녹인다. 식힌 다음 푸드 프로세서로 균일하게 갈고, 잔탄검을 넣어 섞는다. 생 딸기와 설탕에 절인 딸기를 주사위 모양으로 썰어 넣는다.

완성하기 *Montage et finitions*
개인용 사이즈로는 지름 8cm, 높이 6cm 크기의 링(6인용 사이즈는 지름 16cm)을 준비한다.
비스퀴 시트를 링으로 찍어 자른 다음 키르슈를 살짝 발라 적신다. 프레지에 크림을 채워 넣는다. 생 딸기를 넣은 뒤 그 위에 다시 비스퀴를 한 장 얹고 프레지에 크림을 매끈하게 다듬는다. 냉장고에 2시간 넣어두었다가 꺼내 링을 제거한다.
딸기 아몬드 페이스트를 아주 얇게 민 다음 7cm x 20cm 크기의 띠 모양으로 자른다. 이 띠를 각 프레지에에 1cm 정도 위로 올라오도록 둘러준다. 가위로 아몬드 페이스트 윗부분을 조금 잘라 가장자리에 자연스럽게 오므려 붙인다. 딸기 젤을 고루 끼얹은 다음 생 딸기를 올려 완성한다.

F AMB S S

6인분

작업시간 : 1시간 30분

조리 : 10분

휴지 : 2시간

라즈베리 케이크
FRAMBOISIERS

비스퀴 아 라 퀴예르
달걀노른자 6개분
달걀흰자 6개분
설탕 164g
밀가루 164g
설탕
슈거파우더

바닐라 휩드 가나슈
액상 생크림 1리터
타히티산 바닐라 빈 32g
화이트 초콜릿 200g
판 젤라틴 5장

크렘 파티시에
우유 450g
액상 생크림 50g
바닐라 빈 2줄기
설탕 90g
커스터드 분말 25g
밀가루 25g
달걀노른자 90g
카카오버터 30g
판 젤라틴 4장
버터 50g
마스카르포네 치즈 30g

프랑부아지에 크림
바닐라 가나슈 450g
크렘 파티시에 600g

라즈베리 젤
라즈베리 즙 300g
설탕 30g
한천 가루(agar-agar) 4g
잔탄검 1g
수비드 조리 라즈베리 340g
(밀폐 유리병에 넣어 90℃에서
1시간 동안 수비드로 익힌다)
생 라즈베리 200g

완성재료
키르슈
라즈베리 아몬드 페이스트 500g
생 라즈베리 300g

FRAMBOISIERS
프랑부아지에_라즈베리 케이크

비스퀴 아 라 퀴예르 *Biscuit à la cuillère*
p.256의 레시피를 참조하여 비스퀴 아 라 퀴예르를 만든다.

바닐라 휩드 가나슈 *Ganache montée vanille*
p.89의 프레지에 레시피와 같은 방법으로 만든다.

크렘 파티시에 *Crème pâtissière*
p.259의 레시피를 참조하여 크렘 파티시에를 만든다.

프랑부아지에 크림 *Crème framboisier*
p.89의 프레지에 레시피와 같은 방법으로 만든다.

라즈베리 젤 *Gel framboise*
p.89의 딸기 젤 레시피에서 딸기를 라즈베리로 대체하여 같은 방법으로 만든다.

완성하기 *Montage et finitions*
p.89의 프레지에와 같은 방법으로 조립하여 프랑부아지에를 만든다.

바닐라 오페라

6인분

50분

조리 : 25분

휴지 : 2시간 45분 + 2시간 15분

바닐라 오페라
OPÉRA VANILLE

크루아상 반죽

밀가루(farine traditionnelle) 200g
밀가루 (farine de gruau) 200g
소금 8g
설탕 32g
이스트 20g
꿀 16g
버터 28g
달걀 20g
우유 81g
물 81g
푀유타주용 저수분 버터 250g

플랑 혼합물

우유 450g
바닐라 빈 5g
달걀 4개
설탕 90g
커스터드 분말 42g
버터 50g
소금(플뢰르 드 셀) 1g

OPÉRA

095

11H

오페라 바니유_바닐라 오페라

VANILLE

크루아상 반죽 *Pâte à croissant*
전동 스탠드 믹서 볼에 푀유타주용 버터를 제외한 모든 재료를 넣고 도우 훅을 장착한 뒤 속도 1로 4분간, 이어서 속도 2로 6~7분간 돌려 반죽한다. 반죽을 상온(22~24°C)에 15분간 두어 1차 발효시킨다. 압착 파이롤러를 사용하여 반죽을 2cm 두께로 민 다음 냉장고에 30분간 넣어둔다. p.254의 레시피를 참조하여, 길게 민 반죽 가운데에 푀유타주용 버터를 넣고 4절 밀어접기 1회, 이어서 3절 밀어접기 1회를 실시한다. 반죽을 4mm 두께로 민 다음 지름 20cm 원형으로 자른다. 지름 18cm 브리오슈 틀에 크루아상 반죽을 깐 다음 냉동실에 1시간 넣어둔다

플랑 혼합물 *Appareil à flan*
냄비에 우유와 길게 갈라 긁은 바닐라 빈을 넣고 뜨겁게 가열한다. 볼에 달걀, 커스터드 분말, 설탕을 넣고 뽀얗게 될 때까지 거품기로 저어 섞는다. 바닐라 빈 줄기를 건져낸 뒤 뜨거운 우유를 이 혼합물에 붓는다. 잘 섞은 다음 다시 냄비로 모두 옮겨 불에 올린다. 끓을 때까지 가열한 다음 불에서 내린다. 버터와 소금을 넣는다. 핸드블렌더로 갈아 혼합한다.

완성하기 *Montage et finitions*
반죽을 깐 브리오슈 틀을 냉동실에서 꺼낸 뒤 플랑 혼합물을 3/4까지 채운다. 다시 냉동실에 2시간 넣어둔다. 180°C로 예열한 오븐에 넣어 25분간 굽는다. 틀을 제거하지 않고 15분간 휴지시킨 뒤 꺼내서 서빙한다.

8인분

작업시간 : 50분

조리 : 30분

휴지 : 1시간 30분

헤이즐넛 파리 브레스트
PARIS-BREST NOISETTE

슈 반죽
우유 150g
물 150g
전화당(트리몰린) 18g
소금 6g
버터 132g
밀가루 180g
달걀 8개

헤이즐넛 프랄리네
헤이즐넛 500g
설탕 200g
소금(플뢰르 드 셀) 10g
카카오버터 70g
크리스피 푀유틴 70g

크렘 파티시에
우유 450g
액상 생크림 50g
바닐라 빈 2줄기
설탕 90g
커스터드 분말 25g
밀가루 25g
달걀노른자 90g
카카오버터 30g
판 젤라틴 4장
버터 50g
마스카르포네 치즈 30g

헤이즐넛 페이스트
통 헤이즐넛 240g
슈거파우더 18g
소금(플뢰르 드 셀) 6g

프렌치 버터크림
우유 180g
설탕(1) 180g
달걀노른자 140g
버터 800g
물 78g
설탕(2) 233g
달걀흰자 112g

프랄리네 크림
크렘 파티시에 600g
헤이즐넛 페이스트 150g
프렌치 버터크림 520g

PARiS · BRεST – 11H

파리 브레스트 누아제트

슈 반죽 *Pâte à choux*
p.257의 레시피를 참조하여 슈 반죽을 만든다.

헤이즐넛 프랄리네 *Praliné noisette*
p.260의 레시피를 참조하여 헤이즐넛 프랄리네를 만든다.

크렘 파티시에 *Crème pâtissière*
p.259의 레시피를 참조하여 크렘 파티시에를 만든다.

헤이즐넛 페이스트 *Pâte noisette*
오븐을 165°C로 예열한다. 베이킹 팬에 통 헤이즐넛을 펼쳐 놓고 오븐에 넣어 15~20분간 로스팅한다. 푸드 프로세서에 헤이즐넛과 슈거파우더, 소금을 넣고 갈아준다.

프렌치 버터크림 *Crème au beurre*
우유, 달걀노른자, 설탕(1)으로 p.259의 레시피에 따라 크렘 앙글레즈(crème anglaise)를 만든 다음 버터에 붓고 전동 스탠드 믹서 거품기로 잘 저어 혼합한다. 다른 믹싱볼에 달걀흰자의 거품을 올린다. 냄비에 물과 설탕(2)을 넣고 끓인다. 시럽 온도가 120°C에 달하면 달걀흰자에 가늘게 흘려 넣으며 혼합물이 식을 때까지 중간 속도로 계속 거품기를 돌린다. 두 혼합물을 실리콘 주걱으로 섞는다.

프랄리네 크림 *Crème pralinée*
크렘 파티시에를 저어 매끈하게 만든 다음 헤이즐넛 프랄리네와 헤이즐넛 페이스트를 넣고 섞는다. 버터크림을 거품기로 휘저어 매끈하게 만든 다음 혼합물에 넣고 살살 섞는다. 용기에 담아 냉장고에 보관한다.

완성하기 *Montage et finitions*
오븐을 180°C로 예열한다. 지름 8mm 깍지를 끼운 짤주머니에 슈 반죽을 채운 뒤 유산지를 깐 베이킹 팬 위에 15cm 길이로 길쭉하게 짜 놓는다. 헤이즐넛을 고루 뿌린 뒤 오븐에서 30분간 굽는다. 꺼내서 식힘망에 올린다.
헤이즐넛 프랄리네를 슈 아래쪽으로 넣어 채운다.
지름 12mm 깍지를 끼운 짤주머니를 사용하여 프랄리네 크림을 15cm 길이로 짠 다음 냉동실에 1시간 동안 넣어둔다.
단단해진 프랄리네 크림을 슈 위에 놓은 뒤 두 번째 슈로 덮어준다. 30분 정도 해동한 뒤 먹는다.

10인분 작업시간 : 40분 조리 : 30분 휴지 : 5시간

생 트로페 타르트
TROPÉZIENNE

브리오슈 반죽
밀가루(farine de gruau) 500g
소금 9g
설탕 75g
이스트 27g
액상 바닐라 6g
달걀 325g
버터 400g
말린 바닐라 가루 25g
우박설탕 75g

오렌지 크렘 파티시에
우유 450g
액상 생크림 50g
바닐라 빈 2줄기
달걀노른자 90g
설탕 90g
커스터드 분말 25g
밀가루 25g
카카오버터 30g
판 젤라틴 4장
버터 50g
마스카르포네 치즈 30g
오렌지 제스트 4개분

완성재료
슈거파우더
오렌지 제스트

Ā LA TROPĒZIENNE

11H

트로페지엔_생 트로페 타르트

브리오슈 반죽 *Pâte à brioche*
도우 훅을 장착한 전동 스탠드 믹서 볼에 밀가루, 소금, 설탕, 이스트, 액상 바닐라, 달걀, 바닐라 가루를 넣는다. 우선 속도 1로 천천히 35분간 돌린 다음 버터를 넣고 속도 2로 올려 8분간 돌려 혼합한다. 젖은 행주를 덮어 상온에서 1시간 30분 동안 1차 발효시킨다. 반죽을 꺼내 펀칭하며 공기를 뺀 다음 냉장고에 3시간 넣어둔다.
오븐을 180°C로 예열한다. 브리오슈 반죽을 각 120g씩 소분한 다음 양쪽 끝이 아주 뾰족한 바게트 모양으로 성형한다. 상온에서 2시간 동안 발효시킨다. 우박설탕을 뿌린 뒤 오븐에서 30분간 굽는다.

오렌지 크렘 파티시에 *Crème pâtissière orange*
p.259의 레시피를 참조하여 크렘 파티시에를 만든다. 뜨거울 때 오렌지 제스트를 넣어 섞은 뒤 냉장고에 30분간 넣어둔다(오렌지 제스트는 데커레이션용으로 조금 남겨둔다).

완성하기 *Montage et finitions*
빵 나이프로 브리오슈를 가로로 길게 자른다. 오렌지 크렘 파티시에를 짤주머니로 짜 브리오슈 한쪽 면에 짜 얹는다. 나머지 한쪽으로 덮어준다. 슈거파우더와 오렌지 제스트를 뿌려 완성한다.

MERVEILLEUX CH HOC
MERVEILLE CHO CHOC
MERV I LEUX C C
MERV ILLEUX CHO UX CH
MERVEI L X CHO I CH
M UX CHOC EI LEUX
M RV H EI CH C
MER EIL X VEILL CHO
MERVEILLEUX RVE LL H C
MERVEILLEUX H VEI L X OC
LEUX CH EILL X CHOC
EUX CHOC C
메르베유 쇼크 CHOC M VEI
MERVEIL C VEILLEUX
MERVEILLEU C M EI
ME V IL M VE
E X V E
VEILLEUX CHO IL EUX
MERVEILLE C I L U C
MERVEILLE HO ILLE X CH
MERVEILL EILLE
M H C ME L CHO
O M ILLEU CHOC
ME C MERVEI LE CHOC
M RVEI MERVEIL E CHOC

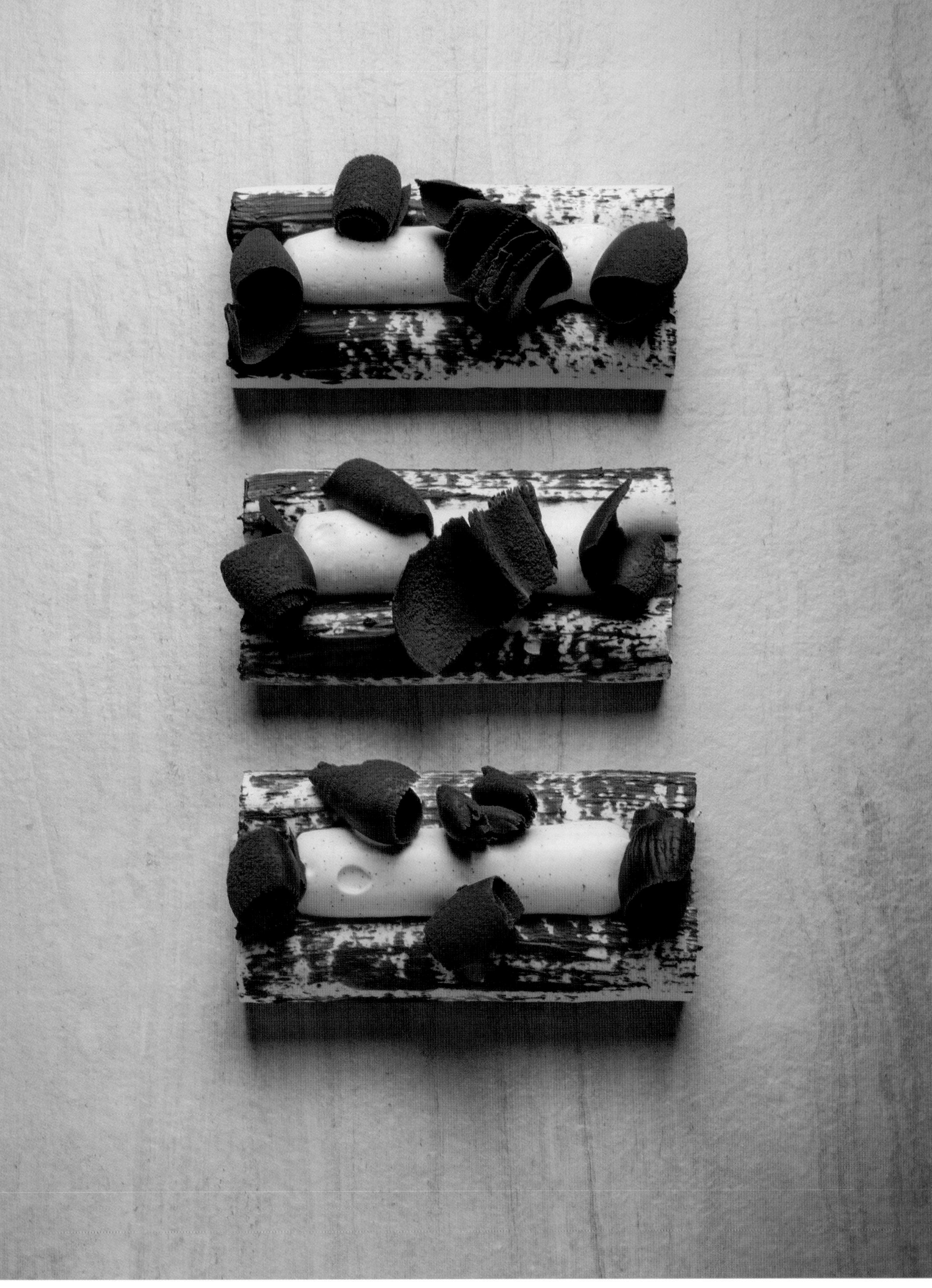

10개 분량
작업시간 : 3시간
조리 : 1시간
휴지 : 2시간

초콜릿 메르베유
MERVEILLEUX CHOC'

머랭
달걀흰자 200g
설탕 180g
슈거파우더 200g
코코아가루 20g

프렌치 버터크림
우유 90g
설탕 90g
달걀노른자 70g
버터 400g

이탈리안 머랭
물 40g
설탕 115g
달걀흰자 55g

크렘 파티시에
우유 90g
액상 생크림 10g
달걀노른자 18g
설탕 18g
커스터드 분말 5g
밀가루 5g
카카오버터 6g
판 젤라틴 2장
버터 10g
마스카르포네 치즈 6g

카카오닙스 프랄리네
헤이즐넛 100g
설탕 30g
소금(플뢰르 드 셀) 2g
카카오닙스 40g
포도씨유 40g

초콜릿 프랄리네 크림
크렘 파티시에 300g
카카오닙스 프랄리네 50g
카카오 70% 커버처 초콜릿 40g
프렌치 버터크림 300g

바닐라 샹티이 크림
생크림 250g
마스카르포네 치즈 50g
설탕 9g
바닐라 빈 1줄기

초콜릿 캐러멜
글루코스 시럽(물엿) 180g
생크림 60g
우유(1) 170g
뜨겁게 데운 글루코스 시럽(물엿) 140g
카카오 70% 커버처 초콜릿 170g
버터 160g
설탕 180g
소금(플뢰르 드 셀) 6g
우유(2) 200g

장식재료
초콜릿 셰이빙

머랭 *Meringue*
전동 스탠드 믹서 볼에 달걀흰자를 넣고 설탕을 넣어가며 거품을 올린다. 슈거파우더를 넣고 실리콘 주걱으로 살살 섞어준다. 머랭을 지름 18mm 원형 깍지를 끼운 짤주머니에 채워 넣고 유산지를 깐 베이킹 팬 위에 튜브 모양으로 짜 놓는다. 오븐을 90°C로 예열한다. 머랭 위에 코코아가루를 뿌린 뒤 오븐에서 1시간 굽는다.

프렌치 버터크림 *Crème au beurre*
우유, 달걀노른자, 설탕으로 p.259의 레시피에 따라 크렘 앙글레즈(crème anglaise)를 만든다. 전동 스탠드 믹서 볼에 버터를 넣고 크렘 앙글레즈를 조금씩 부으며 거품기를 돌려 혼합한다.

이탈리안 머랭 *Meringue italienne*
냄비에 물과 설탕을 넣고 121°C까지 끓인다. 다른 믹싱볼에 달걀흰자를 넣고 거품을 올린다. 뜨거운 시럽을 가늘게 흘려 넣으며 계속 거품기를 돌려 머랭을 만든다. 버터크림과 이탈리안 머랭을 섞는다. 냉장고에 2시간 넣어둔다.

크렘 파티시에 *Crème pâtissière*
p.259의 레시피를 참조하여 크렘 파티시에를 만든다.

메르베유 쇼크_초콜릿 메르베유

카카오닙스 프랄리네 *Praliné grué*
p.260의 레시피를 참조하여 카카오닙스 프랄리네를 만든다.

초콜릿 프랄리네 크림 *Crème pralinée chocolat*
전동 스탠드 믹서의 플랫비터를 돌려 크렘 파티시에를 매끈하게 풀어준 뒤 카카오닙스 프랄리네와 중탕으로 녹인 초콜릿을 넣어 섞는다. 다른 믹싱볼에 버터크림을 넣고 거품기로 휘저어 매끈하게 푼 다음 혼합물에 넣고 살살 섞는다. 용기에 넣어 냉장고에 1시간 넣어둔다.

바닐라 샹티이 크림 *Crème chantilly à la vanille*
볼에 생크림, 마스카르포네, 설탕, 길게 갈라 긁은 바닐라 빈을 넣고 핸드 블렌더로 갈아 혼합한다. 체에 걸러 내린 뒤 짤주머니에 채워 넣는다.

초콜릿 캐러멜 *Caramel chocolat*
냄비에 글루코스 시럽 180g을 넣고 190°C까지 끓인다. 다른 냄비에 생크림, 우유(1), 설탕, 글루코스 시럽 140g을 넣고 데운 다음 190°C의 글루코스 시럽에 붓는다. 혼합물을 105°C까지 가열한 뒤 70°C로 식힌다. 여기에 커버처 초콜릿, 버터, 소금을 넣고 섞는다. 마지막으로 우유(2)를 넣어준다. 핸드블렌더로 갈아 혼합한 다음 체에 거른다. 냉장고에 보관한다.

완성하기 *Montage et finitions*
초콜릿 프랄리네 크림을 길게 짠 다음 양쪽에 튜브 모양 머랭을 하나씩 놓는다. 깍지 없는 짤주머니를 사용하여 중간에 바닐라 샹티이 크림을 한 줄로 짜 넣고 카카오닙스 프랄리네와 초콜릿 캐러멜을 머랭에 조금씩 발라준다. 대패처럼 얇게 긁은 초콜릿 셰이빙을 몇 개 얹어 완성한다.

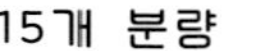

15개 분량　　작업시간 : 40분　　조리 : 15분　　휴지 : 1시간 30분 + 2시간

S SUCCÈS

프랄린 쉭세
SUCCÈS PRALIN

크렘 파티시에
우유 90g
액상 생크림 10g
달걀노른자 18g
설탕 18g
커스터드 분말 5g
밀가루 5g
카카오버터 6g
판 젤라틴 2장
버터 10g
마스카르포네 치즈 6g

프렌치 버터크림
우유 90g
설탕(1) 90g
달걀노른자 70g
버터 400g
물 40g
설탕(2) 115g
달걀흰자 55g

헤이즐넛 프랄리네
헤이즐넛 100g
설탕 40g
소금(플뢰르 드 셀) 2g
카카오버터 70g
크리스피 푀유틴 70g

파리 브레스트 크림
크렘 파티시에 150g
프렌치 버터크림 150g
헤이즐넛 프랄리네 30g

머랭
달걀흰자 200g
설탕 180g
슈거파우더 200g

로스팅한 헤이즐넛
통 헤이즐넛 100g

완성재료
헤이즐넛 50g

PRALiN

쉭세 프랄랭_프랄린 쉭세

크렘 파티시에 *Crème pâtissière*
p.259의 레시피를 참조하여 크렘 파티시에를 만든다.

프렌치 버터크림 *Crème au beurre*
p.259의 레시피를 참조하여 프렌치 버터크림을 만든다.

헤이즐넛 프랄리네 *Praliné noisette*
p.260의 레시피를 참조하여 헤이즐넛 프랄리네를 만든다.

파리 브레스트 크림 *Crème Paris-Brest*
전동 스탠드 믹서의 플랫비터를 돌려 크렘 파티시에를 매끈하게 풀어준 다음 헤이즐넛 프랄리네를 넣어 섞는다. 다른 믹싱볼에 버터크림을 넣고 거품기로 휘저어 매끈하게 푼 다음 혼합물에 넣고 살살 섞는다. 용기에 넣어 냉장고에 1시간 넣어둔다.

머랭 *Meringue*
p.261의 레시피를 참조하여 코코아카루를 제외한 재료로 머랭을 만든다. 지름 18mm 깍지를 끼운 짤주머니에 넣고 각기 다른 여러 개의 길쭉한 튜브 모양으로 짠다. 90°C 오븐에서 1시간 굽는다.

로스팅한 헤이즐넛 *Noisettes torréfiées*
오븐을 150°C로 예열한다. 헤이즐넛을 베이킹 팬에 펼쳐놓고 오븐에서 15분간 굽는다.

완성하기 *Montage et finitions*
프랄리네 크림을 짤주머니에 넣고 5개의 길쭉한 튜브 모양으로 간격을 두고 짠 다음 양쪽 끝과 사이사이에 길쭉한 머랭을 하나씩 넣는다. 사이사이에 헤이즐넛 프랄리네를 채운다. 그 위에 다진 헤이즐넛 가루를 뿌린다. 구운 헤이즐넛과 껍질을 몇 개 얹어 완성한다.

10개 분량 | 작업시간 : 1시간 30분 | 조리 : 45분 | 휴지 : 3시간

서양배 타르트
POIRES EN DENTELLE

파트 쉬크레
버터 150g
슈거파우더 95g
아몬드가루 30g
소금(sel de Guérande) 1g
바닐라 가루 1g
달걀 1개
밀가루(T55 중력분) 250g

아몬드 크림
버터 150g
설탕 150g
아몬드가루 150g
달걀 150g

크렘 파티시에
우유 450g
액상 생크림 50g
바닐라 빈 2줄기
설탕 90g
커스터드 분말 25g
밀가루 25g
달걀노른자 90g
카카오버터 30g
판 젤라틴 4장
버터 50g
마스카르포네 치즈 30g

시럽 포칭 서양배
윌리엄 서양배 5개
물 1리터
설탕 500g
바닐라 빈 1줄기

캐러멜라이즈드 아몬드 슬라이스
아몬드 슬라이스 250g
슈거파우더 25g

POIRES EN _

EN DENTELLE

푸아르 앙 당텔_서양배 타르트

파트 쉬크레 *Pâte sucrée*
하루 전날, p.257의 레시피를 참조하여 파트 쉬크레 반죽을 만든다. 파이롤러를 사용하여 2.5mm 두께로 얇게 민 다음 버터를 얇게 발라둔 정사각형 프레임 틀(사방 7cm, 높이 2cm)에 앉힌다. 냉동실에 1시간 넣어 굳힌다.
오븐을 160°C로 예열한다. 파트 쉬크레 시트를 오븐에서 15분간 굽는다.

크렘 파티시에 *Crème pâtissière*
p.259의 레시피를 참조하여 크렘 파티시에를 만든다.

아몬드 크림 *Crème d'amande*
p.259의 레시피를 참조하여 아몬드 크림을 만든다.

시럽 포칭 서양배 *Poires pochées*
냄비에 물, 설탕, 길게 갈라 긁은 바닐라 빈을 넣고 끓여 시럽을 만든다. 서양배의 꼭지를 남긴 채 껍질을 벗긴 뒤 통째로 시럽에 넣고 아주 약하게 끓는 상태로 포칭한다.

캐러멜라이즈드 아몬드 슬라이스
Amandes effilées caramelisées
아몬드 슬라이스를 165°C 오븐에서 10분간 구운 뒤 슈거파우더를 고루 뿌린다. 230°C 오븐에 2~3분간 넣어 캐러멜라이즈한다.

완성하기 *Montage et finitions*
구워 놓은 타르트 시트에 아몬드 크림을 반쯤 채운 뒤 170°C 오븐에서 15분간 굽는다. 식힌 뒤 아몬드 크림 위에 크렘 파티시에를 채워 넣는다.
시럽에 포칭한 서양배를 건져 위에서부터 2/3 되는 지점을 자른다. 꼭지가 달린 조각을 크렘 파티시에에 박아 넣는다. 캐러멜라이즈드 아몬드 슬라이스를 주위에 빙 둘러 장식한다.

M R ONS LES ARRO E CORBEiLLES
MARR S L¯S A RO EN ORBEiLLES
MAR ONS ¯ NS EN CORBEiLLES
MAR O S M RRONS EN CORBEiLLES
MARRONS ¯ MARRONS EN CORBEi LES
MARRONS E E MARRONS EN ORBEi L
MARRONS EN CO ¯S MAR O EN C RBEi
MARRONS EN CO E ¯ COR EiLL
MARRONS ¯N C ¯ EN CORB¯¯LLES
MARRONS ¯ C BEi ¯
MARRONS E BEi
ARRON ¯ LE
M O S M ONS C
S M RON 마롱 앙 코르베유
O S i L¯
MARR N E RB ˙LLES M O BEiL ¯
MARRO S EN CO Ei E ONS CORBEi ES
MARRO S EN CO BEiLL¯ N EN CORBEi LES
MARR S ¯N C ¯˙ L M E ORBEiLLES
MARR S ¯ ORB EN OR EiLLES
NS EN C R M EN C RBEiLLES
S COR MA ¯ ORBEiLLES
M R S EN CO BE˙ LES MA EN CORBEiLLES
MARR NS EN ¯iL ES MARRO EN CORBEiLLES
MARR NS E iLL¯S MARRONS EN CORBEiLLES
MAR O S ¯ ˙ RRONS EN CORBEiLLES
MARR N EN MA RONS EN CORBEiLLES
M S ¯ S MAR NS EN CORBEiLLES
M RON ¯N ı RO EN CORBEiLLES
M RRO EN i L S N EN CORBEiLLES
A RO ˙ S MAR ¯ RBEiLLES

10인분

작업시간 : 1시간 30분

조리 : 20분

휴지 : 1시간

밤 타르트
MARRONS EN CORBEILLES

파트 쉬크레
버터 150g
슈거파우더 95g
아몬드가루 30g
소금(sel de Guérande) 1g
바닐라 가루 1g
달걀 1개
밀가루(T55 중력분) 250g

아몬드 크림
버터 75g
설탕 75g
아몬드가루 75g
달걀 75g

밤 젤
우유 500g
밤 페이스트 400g
당절임 밤 200g
달걀노른자 90g
잔탄검 1티스푼

헤이즐넛 프랄리네
헤이즐넛 500g
설탕 200g
소금(플뢰르 드 셀) 10g
카카오버터 70g
크리스피 푀유틴 70g

레몬 젤
레몬즙 250g
설탕 25g
한천 가루(agar-agar) 4g

크렘 파티시에
우유 450g
액상 생크림 50g
바닐라 빈 2줄기
설탕 90g
커스터드 분말 25g
밀가루 25g
달걀노른자 90g
카카오버터 30g
판 젤라틴 4장
버터 50g
마스카르포네 치즈 30g

밤 크림
생크림(UHT) 300g
설탕 65g
달걀노른자 125g
판 젤라틴 2장
마스카르포네 치즈 625g
밤 페이스트 500g
크렘 파티시에 400g

밤 크림 믹스
밤 페이스트 500g
밤 크림 500g
물 50g

완성재료
당절임 밤 200g

MARRONS EN CORBEILLES

111

11H

마롱 앙 코르베유_밤 타르트

파트 쉬크레 *Pâte sucrée*
p.257의 레시피를 참조하여 파트 쉬크레 반죽을 만든다.

아몬드 크림 *Crème d'amande*
p.259의 레시피를 참조하여 아몬드 크림을 만든다.

밤 젤 *Gel marron*
p.259의 레시피를 참조하여 크렘 앙글레즈(crème anglaise)를 만든다. 찬물에 헹군 당절임 밤과 밤 페이스트를 볼에 넣고 그 위에 크렘 앙글레즈를 붓는다. 잔탄검을 넣고 핸드블렌더로 갈아 혼합한다.

헤이즐넛 프랄리네 *Praliné noisette*
p.260의 레시피를 참조하여 헤이즐넛 프랄리네를 만든다.

레몬 젤 *Gel citron jaune*
p.261의 레시피를 참조하여 레몬 젤을 만든다.

크렘 파티시에 *Crème pâtissière*
p.259의 레시피를 참조하여 크렘 파티시에를 만든다.

밤 크림 *Crème marron*
p.259의 레시피를 참조하여 우유 대신 생크림을 넣고 크렘 앙글레즈(crème anglaise)를 만든다. 마스카르포네, 찬물에 불려 물을 꼭 짠 젤라틴, 밤 페이스트를 볼에 넣고 그 위에 크렘 앙글레즈를 붓는다. 핸드블렌더로 갈아 균일하게 혼합한다. 크렘 파티시에를 넣어 섞는다.

밤 크림 믹스 *Mélange marron*
푸드 프로세서에 밤 페이스트, 밤 크림, 물을 넣고 갈아 혼합한다. 용기에 덜어낸 다음 마르지 않도록 랩으로 덮어둔다.

완성하기 *Montage et finitions*
파트 쉬크레를 2.5mm 두께로 민 다음, 버터를 얇게 발라둔 높이 2cm, 지름 7cm 크기의 꽃모양 틀에 깔아준다. 냉동실에 1시간 넣어둔다. 오븐을 160°C로 예열한다. 파트 쉬크레 시트를 오븐에서 20분 구워낸다.
구워낸 타르트 시트 바닥에 아몬드 크림을 채운 뒤 물에 헹군 당절임 밤 조각을 몇 개 놓는다. 밤 젤을 타르트 높이에 맞게 채워 넣는다. 가운데에 헤이즐넛 프랄리네와 레몬 젤을 놓고 밤 크림을 소복이 얹은 다음 스패출러로 다듬어 돔 모양으로 만든다. 작은 구멍이 여럿 뚫린 몽블랑용 깍지를 끼운 짤주머니를 사용하여 밤 크림믹스를 가는 국수 모양으로 나란히 짜 얹는다. 가장자리를 매끈하게 정리한다. 중앙에 당절임 밤을 한 개 얹어 완성한다.

10인분

작업시간 : 50분

조리 : 30분

휴지 : 40분

N
CiTR NN

레몬 플라워 타르트
FLEURS CITRONNÉES

파트 사블레 바스크
버터 250g
비정제 황설탕 220g
달걀 90g
밀가루(T55 중력분) 310g
아몬드가루 154g
이스트 16g
소금 3g

라임 콩피
라임 과육 400g
끓는 물에 데친 라임 껍질 225g
마리골드 15g
세이지 10g
민트 10g
칼렌듈라(금잔화) 10g
잡화꿀 200g
글루코스 시럽(물엿) 200g
레몬즙 400g

라임 크림
라임즙 450g
라임 제스트(감자 필러로 얇게 저며낸다) 7개분
달걀 400g
프로폴리스 꿀 50g
전화당(트리몰린) 25g
파넬라 설탕 25g
소금(플뢰르 드 셀) 1.5g
판 젤라틴 3장
차가운 푀유타주용 저수분 버터 425g

라임 머랭
달걀흰자 150g
설탕 75g
난백 분말 1.5g
라임 제스트 1개분

레몬 젤
레몬즙 500g
설탕 50g
한천 가루(agar-agar) 8g

완성재료
슈거파우더

FLEURS CITRONNÉES

플뢰르 시트로네_ 레몬 플라워 타르트

파트 사블레 바스크 *Pâte sablée basque*
p.255의 레시피를 참조하여 파트 사블레 바스크 반죽을 만든다.

라임 콩피 *Confit de citron vert*
라임 과육을 끓는 물에 4번 데쳐낸 다음 식힌다. 재료를 모두 푸드 프로세서에 갈아 균일한 혼합물을 만든다. 냉장고에 1시간 넣어둔다.

라임 크림 *Crème citron vert*
젤라틴을 물에 담가 불린다. 냄비에 버터와 젤라틴을 제외한 재료를 모두 넣고 90°C까지 가열한 다음 체에 거른다. 물을 꼭 짠 젤라틴을 넣는다. 핸드블렌더로 갈아 혼합한 다음 버터를 조금씩 넣으며 섞는다.

라임 머랭 *Meringue citron vert*
달걀흰자, 설탕, 난백 분말을 중탕으로 70°C까지 가열한다. 식을 때까지 거품기로 돌려 머랭을 만든다. 라임 제스트를 넣어 섞은 뒤 바로 짤주머니에 채워 넣는다.

레몬 젤 *Gel citron jaune*
p.261의 레시피를 참조하여 레몬 젤을 만든다.

완성하기 *Montage et finitions*
오븐을 170°C로 예열한다. 반죽을 얇게 밀어 지름 7cm 원형으로 재단한다. 지름 6cm 링에 앉힌 뒤 오븐에서 시트만 30분간 굽는다. 타르트 시트를 식힌 뒤 라임 콩피, 이어서 라임 크림을 높이의 2/3 지점까지 채운다. 지름 8mm 원형 깍지를 끼운 짤주머니로 머랭을 가장자리에 짜 얹은 뒤 슈거파우더를 뿌린다. 아주 뜨거운 오븐에서 2분간 굽는다. 타르트 중앙에 라임 콩피와 레몬 젤을 채워 완성한다.

10개(소) 분량

작업시간 : 2시간

조리 : 1시간 20분

휴지 : 12시간

지브라 바슈랭
VACHERINS ZÉBRÉS

머랭
달걀흰자 200g
설탕 200g
슈거파우더 200g

패션프루트 소르베
물 250g
설탕 160g
글루코스 시럽(물엿) 65g
패션프루트 과육 500g

딸기 소르베
물 300g
전화당(트리몰린) 30g
설탕 200g
딸기 과육 1kg

바닐라 샹티이 크림
생크림 500g
마스카르포네 치즈 100g
설탕 17g
바닐라 빈 2줄기

VACHERINS

완성재료
패션푸르트 6개

11H

ZÉBRÉS

바슈랭 제브레_지브라 바슈랭

머랭 *Meringue*
p.261의 레시피를 참조하여 코코아가루를 제외한 재료로 머랭을 만든다. 오븐을 110°C로 예열한다. 작은 바구니 모양의 실리콘 틀에 머랭을 채운다. 틀 높이에 맞춰 윗면을 매끈하게 밀어낸 뒤 오븐에서 20분간 굽는다. 오븐에서 꺼낸 뒤 오븐 온도를 90°C로 낮춘다. 물 묻힌 스푼으로 머랭 가운데를 움푹하게 파낸 다음 다시 오븐에 넣어 1시간 동안 굽는다.

패션프루트 소르베 *Sorbet Passion*
p.235의 레시피를 참조하여 패션프루트 소르베를 만든다.

딸기 소르베 *Sorbet fraise*
패션프루트 소르베와 마찬가지 방법으로 딸기 소르베를 만든다. 패션프루트 과육 대신 딸기 과육을 넣는다.

바닐라 샹티이 크림 *Crème chantilly à la vanille*
재료를 모두 볼에 넣고 핸드블렌더로 갈아 혼합한다

플레이팅 *Dressage*
머랭 안에 패션프루트 소르베와 딸기 소르베를 채워 넣는다. 바닐라 생크림을 휘핑하여 샹티이 크림을 만든다. 지름 8mm 원형 깍지를 끼운 짤주머니에 샹티이 크림을 채운 뒤 바슈랭 위에 불꽃 모양으로 짜 얹는다. 중앙에 패션프루트 과육과 씨를 채워 완성한다.

10개 분량 작업시간 : 1시간 조리 : 30분 휴지 : 1시간

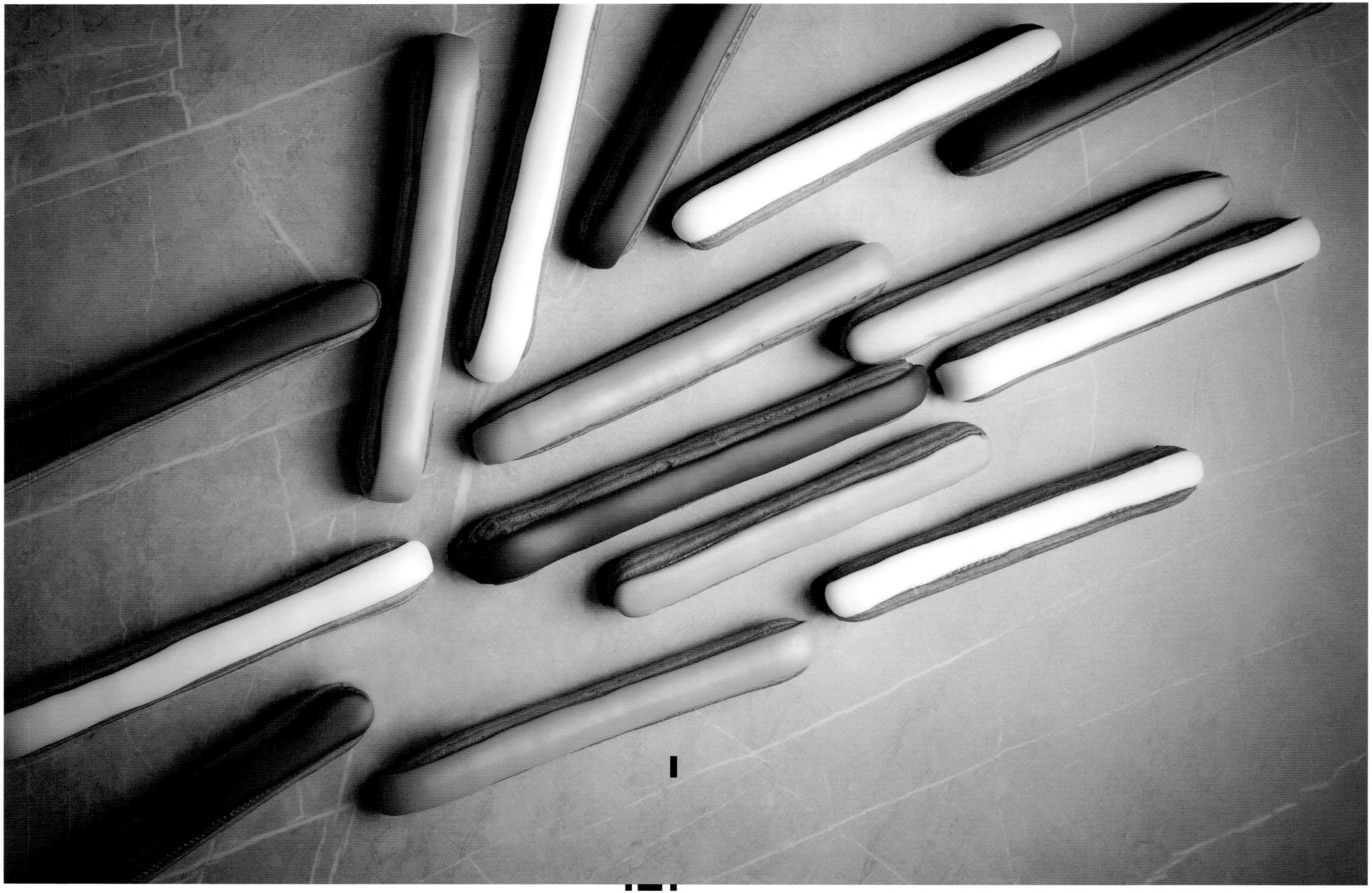

에클레어
ÉCLAIRS

슈 반죽
우유 150g
물 150g
전화당(트리몰린) 18g
소금 6g
버터 132g
밀가루 180g
달걀 5개

크렘 파티시에
우유 900g
액상 생크림 100g
바닐라 빈 4줄기
설탕 180g
커스터드 분말 50g
밀가루 50g
달걀노른자 180g
카카오버터 60g
판 젤라틴 8장
버터 100g
마스카르포네 치즈 60g

- 3가지 향
퓨어 카카오 페이스트 200g
바닐라 페이스트 200g
커피 페이스트 200g

글라사주
설탕 15g
물 15g
제과용 퐁당 슈거 500g
코코아가루 10g
커피 가루 10g

- ÉCLAIRS

에클레르_에클레어 - L · S ·

슈 반죽 *Pâte à choux*
냄비에 우유, 물, 전화당, 소금, 버터를 넣고 끓인 뒤 불에서 내리고 밀가루를 한 번에 넣어준다.
다시 불에 올린 뒤 주걱으로 세게 저어 섞으며 수분을 날린다.
이것을 전동 스탠드 믹서 볼에 넣고 달걀을 한 개씩 첨가하며 플랫비터를 돌려 섞는다. 상온에서 1시간 휴지시킨다.

크렘 파티시에 *Crème pâtissière*
p.259의 레시피를 참조하여 크렘 파티시에를 만든다.
크렘 파티시에를 3개의 그릇에 나누어 담은 뒤 각각 퓨어 카카오 페이스트, 바닐라 페이스트, 커피 페이스트를 넣어 향을 낸다.

글라사주 *Glaçage*
냄비에 설탕과 물을 넣고 끓여 시럽을 만든다. 다른 냄비에 퐁당 슈거를 살짝 데운 뒤 3등분하고 각각 뜨거운 시럽을 넣어 섞는다. 플레인, 카카오, 커피 향의 세 가지 글라사주를 만든다.

완성하기 *Montage et finitions*
오븐을 180°C로 예열한다. 지름 10mm 원형 깍지를 끼운 짤주머니에 슈 반죽을 채운 뒤 유산지를 깐 베이킹 팬 위에 20cm 길이의 가는 에클레어를 짜 놓는다. 스프레이로 기름을 가볍게 분사한다. 오븐에 넣어 30분간 구운 뒤 꺼내서 망에 올려 식힌다.
3가지 향의 크렘 파티시에를 짤주머니에 넣고 깍지로 에클레어 아랫면을 찔러 크림을 채워 넣는다.
글라사주를 32°C로 데운다. 납작한 일자 깍지(douille chemin de fer)를 끼운 짤주머니로 27°C의 글라사주를 에클레어 위에 길게 짜 얹고 가장자리를 매끈하게 다듬는다.

8인분

작업시간 : 50분

조리 : 30분

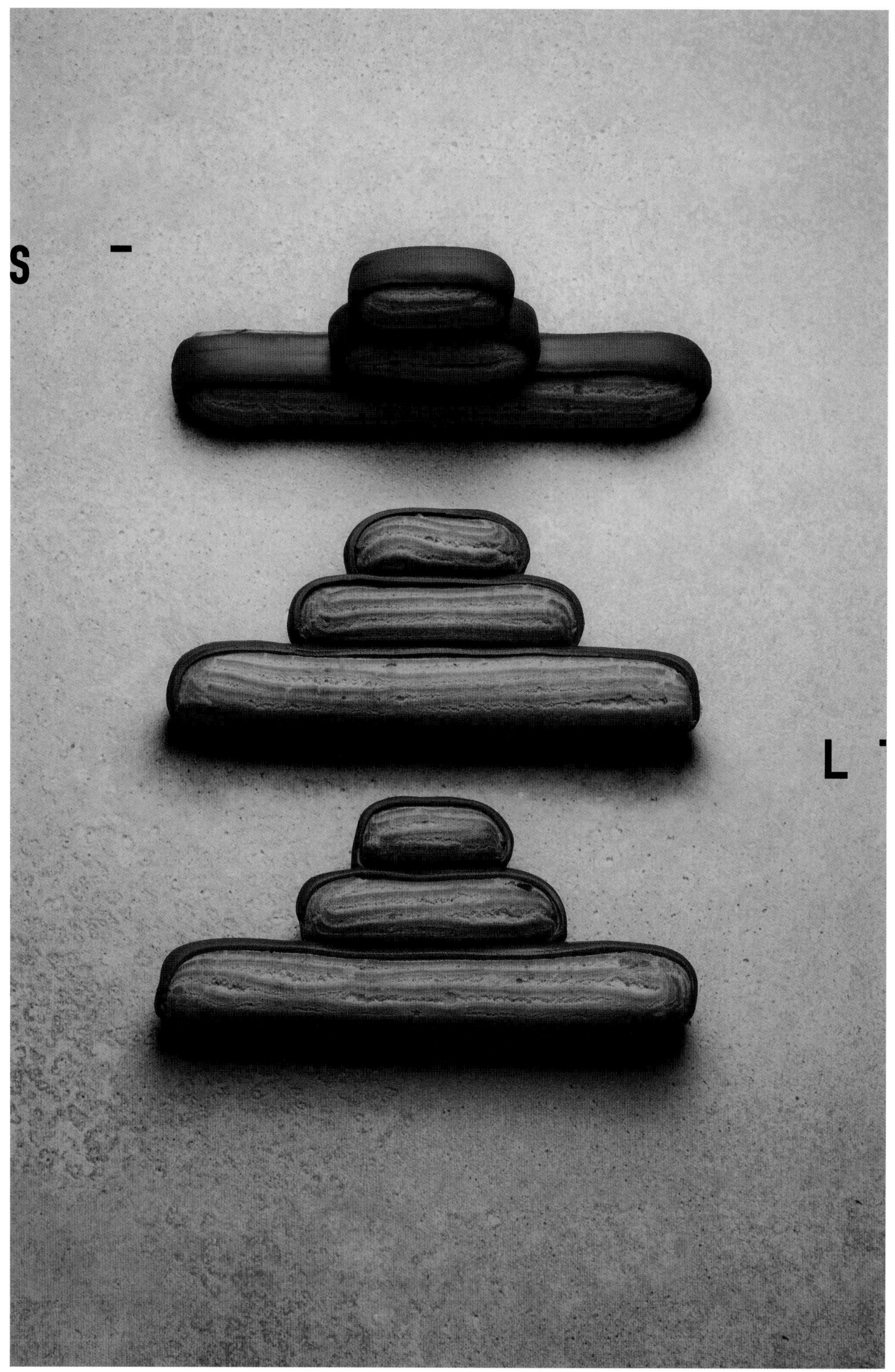

에클레어 를리지외즈
RELIGIEUSES EN ÉCLAIRS

슈 반죽
우유 150g
물 150g
전화당(트리몰린) 18g
소금 6g
버터 132g
밀가루 180g
달걀 5개

크렘 파티시에
우유 450g
액상 생크림 50g
바닐라 빈 2줄기
설탕 90g
커스터드 분말 25g
밀가루 25g
달걀노른자 90g
카카오버터 30g
판 젤라틴 4장
버터 50g
마스카르포네 치즈 30g

초콜릿 크렘 파티시에
크렘 파티시에 500g
페루산 초콜릿 60g

카카오닙스 프랄리네
헤이즐넛 500g
설탕 150g
소금(플뢰르 드 셀) 10g
카카오닙스 200g
포도씨유 200g

제과용 퐁당 아이싱
퐁당 슈거 500g
카카오버터 50g
글루코스 시럽(물엿) 50g
코코아가루

RELIGIEUSES

EN ÉCLAIRS

를리지외즈 앙 에클레르_에클레어 를리지외즈

슈 반죽 *Pâte à choux*
p.257의 레시피를 참조하여 슈 반죽을 만든 다음 원형 깍지를 끼운 짤주머니에 채워 넣는다.

크렘 파티시에 *Crème pâtissière*
p.259의 레시피를 참조하여 크렘 파티시에를 만든다.

초콜릿 크렘 파티시에 *Crème pâtissière chocolat*
냄비에 초콜릿을 중탕으로 녹인 뒤 따뜻한 상태에서 크렘 파티시에와 섞는다.

카카오닙스 프랄리네 *Praliné grué*
오븐을 160°C로 예열한다. 베이킹 팬에 헤이즐넛을 펼쳐놓고 오븐에 넣어 10분간 굽는다. 냄비에 설탕을 넣고 가열해 캐러멜을 만든다.
푸드 프로세서에 구운 헤이즐넛과 캐러멜, 카카오닙스를 넣고 갈아준다. 포도씨유와 소금을 넣고 플랫비터나 주걱으로 잘 섞는다.

제과용 퐁당 아이싱 *Fondant pâtissier*
냄비에 퐁당슈거를 넣고 36°C로 가열한다. 여기에 카카오버터, 글루코스 시럽, 코코아가루를 넣어 섞는다. 너무 되직하면 물을 조금 넣어 풀어준다.

완성하기 *Montage et finitions*
유산지를 깐 베이킹 팬 위에 8mm 깍지를 끼운 짤주머니를 사용해 슈 반죽을 15cm 길이로 짜 놓는다. 7mm 깍지를 끼운 짤주머니로 10cm 길이, 7mm 깍지로 4cm 길이의 슈 반죽을 짠 다음 180°C로 예열한 오븐에서 30분간 굽는다. 오븐에서 꺼낸 뒤 망에 올려 식힌다.
각 에클레어 밑면으로 초콜릿 크렘 파티시에, 이어서 카카오닙스 프랄리네를 넣어 채운다.
납작한 일자 깍지(douille chemin de fer)를 끼운 짤주머니에 따뜻한 온도의 퐁당 아이싱을 채운 뒤 각 에클레어 위에 긴 띠 모양으로 짜 얹는다.
제일 긴 에클레어를 맨 아래에 놓고 점점 작은 순서로 3개씩 위로 쌓아 올린다.

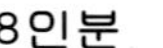

8인분 작업시간 : 40분 조리 : 40분 휴지 : 1시간

복숭아 타르트
TARTE AUX PÊCHES

파트 쉬크레
버터 150g
슈거파우더 95g
아몬드가루 30g
소금(sel de Guérande) 1g
바닐라 가루 1g
달걀 1개
밀가루(T55 중력분) 250g
감자전분 80g

크림 혼합물
달걀 200g
설탕 200g
아몬드가루 200g
밀가루 60g
소금 2g

필링 가니시
황도 8개
백도 8개
아몬드 슬라이스 100g

TARTE

11H

타르트 오 페슈_복숭아 타르트

AUX
A X

PÊCHES

파트 쉬크레 *Pâte sucrée*
p.257의 레시피를 참조하여 파트 쉬크레 반죽을 만든다.

크림 혼합물 *Appareil à crème prise*
볼에 달걀과 설탕, 아몬드가루를 넣고 혼합한 다음 밀가루와 소금을 넣어 섞는다. 냉장고에 넣어둔다.

완성하기, 굽기 *Montage et finitions*
오븐을 170°C로 예열한다. 반죽을 밀어 타르트 틀에 앉힌다. 황도와 백도를 불규칙한 모양으로 썬다. 크림 혼합물을 타르트 시트 안에 채운 다음 복숭아를 고루 얹는다. 아몬드 슬라이스를 뿌린 뒤 오븐에서 40분간 굽는다.

10인분 작업시간 : 1시간 조리 : 45분 휴지 : 1시간 30분

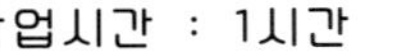

T

애플 타탱 타르트
TATIN DE MAMIE ROSE

퇴유타주 반죽

- 뵈르 마니에 *Beurre manié*

퇴유타주용 저수분 버터 280g
밀가루(farine de gruau) 110g

- 데트랑프 *Détrempe*

물 100g
소금 10g
흰 식초 2g
부드러워진 버터 80g
밀가루(farine de gruau) 250g

캐러멜

설탕 300g
물 100g

필링 가니시

사과(Royal Gala) 10개

TATiN DE

MAMiE ROSE

타탱 드 마미 로즈_ 애플 타탱 타르트

퇴유타주 반죽 *Feuilletage*

p.255의 레시피에 따라 3절 밀어접기 6회를 하여 퇴유타주 반죽을 만든다. 반죽을 4mm 두께로 민다.

완성하기 *Montage et finitions*

오븐을 170°C로 예열한다. 높이가 있는 지름 20cm 원형틀에 캐러멜을 만든다. 사과의 껍질을 벗긴 뒤 반으로 잘라 속과 씨를 빼내고 캐러멜이 깔린 틀 전체에 균일하게 배열한다. 나머지 사과를 얇게 썬 다음 그 위에 올린다. 틀 둘레 안쪽에 버터를 바른 뒤 둥근 모양으로 재단한 퇴유타주 시트로 덮고 가장자리를 틀 안으로 밀어 넣는다. 오븐에서 35분간 굽는다.
오븐에서 꺼낸 뒤 냉장고에 1시간 넣어둔다. 다시 오븐에 10분간 넣어 타르트가 틀에서 잘 분리되도록 한다. 서빙 접시를 틀 위에 얹고 뒤집어 틀을 제거한다. 노르망디산 생크림을 곁들여 서빙한다.

8인분

작업시간 : 50분

조리 : 43분

휴지 : 1시간 30분

옛날식 애플 타르트
TARTE AUX POMMES À L'ANCIENNE

브리오슈 푀유테
밀가루(T45 박력분) 825g
고운 소금 12g
설탕 50g
달걀 150g
우유 300g
이스트 75g
포마드 상태의 버터 75g
푀유타주용 버터 450g

아몬드 크림
버터 75g
설탕 75g
아몬드가루 75g
달걀 75g

사과 콩포트
사과(Granny Smith) 500g
레몬즙 60g

완성재료
사과(Royal Gala) 5개
사과(Granny Smith) 2개
브라운 버터(beurre noisette) 100g

- POMMES À 타르트 오 폼 아 랑시엔_
_ 옛날식 애플 타르트 L' ANCIENNE

브리오슈 푀유테 *Brioche feuilletée*
p.254의 레시피를 참조하여 브리오슈 푀유테 반죽을 만든다.

아몬드 크림 *Crème d'amande*
p.259의 레시피를 참조하여 아몬드 크림을 만든다.

사과 콩포트 *Compotée de pomme*
오븐을 100°C로 예열한다. 사과를 씻어 껍질을 벗긴 뒤 사방 3mm 크기의 작은 큐브 모양으로 썬다. 사과를 냄비에 넣고 레몬즙을 첨가한 뒤 뚜껑을 덮은 상태로 13분간 익힌다.

완성하기 *Montage et finitions*
브리오슈 푀유테 반죽을 민 다음 지름 16cm 타르트 링에 앉힌다. 아몬드 크림을 바닥에 채운 뒤 사과 콩포트를 고르게 펴 넣는다. 오븐을 180°C로 예열한다.
사과(Royal Gala 5개, Granny Smith 2개)의 껍질째 반으로 잘라 속과 씨를 도려낸다. 사과를 2mm 두께로 얇게 썬 다음 타르트에 나란히 겹쳐 놓는다. 오븐에서 30분간 굽는다. 황금색이 나도록 가열한 버터(beurre noisette)를 붓으로 타르트 위에 발라준다.

6인분 작업시간 : 30분 조리 : 40분

B

루바브 크럼블 타르트
CROÛTE DE RHUBARBE

버터 220g
설탕 150g
밀가루(T45 박력분) 220g
정향 2g
아몬드 슬라이스 300g
생 루바브 3줄기

127

CROÛTE DE RHUBARBE

크루트 드 뤼바르브_루바브 크럼블 타르트

11H

B
B

믹싱볼에 버터, 설탕, 밀가루, 정향가루를 넣고 모래와 같은 부슬부슬한 질감이 되도록 섞는다. 아몬드 슬라이스를 넣은 뒤 전동 스탠드 믹서의 플랫비터를 돌려 섞어준다.

오븐을 180°C로 예열한다.
루바브 줄기의 양끝을 다듬고 질긴 섬유질과 껍질을 벗겨낸 뒤 8cm 크기로 토막낸다. 타르트 틀 바닥에 크럼블 반죽을 시트처럼 깔아준 다음 루바브 줄기를 중앙에 나란히 배치한다. 크럼블 반죽를 가장자리에 빙 둘러 올린 뒤 오븐에 넣어 40분간 굽는다.

셰프의 팁
더 바삭한 타르트를 만들려면 타르트 틀에 미리 버터를 바르고 설탕을 묻혀둔다.

FEUILLET RU S

F Ui E ES FRUITS S

FE i TES F F UiTS

UiLL E UiTS F U FRUiTS

LETES UiTS F S FRUiTS

F iTS F U L T RUiTS

T iTS FE LL TES FRUi S

ETES S F iLLETES FRUiTS

E i L E E R

F iLLE R i L i S

UiLLE S iT L T i

UiLLETES FRUiT

FEUiLLETES FRU TS

FEUiLLETES F iTS

FEUiLLETES FR i

FEUiLLE E F

FEUiLL F U

FEUiL ET S iLL S

F Ui S i Ui ET S F i S

푀유테 프뤼 S F UiT L T S F U

E iL FRUi S F ET RUiTS

F UiL S FR iTS F U ES FRUiTS

10인분 작업시간 : 50분 조리 : 35분 휴지 : 1시간 30분

F¯Ui L¯ ¯

블랙베리 푀유테
FEUILLETÉS MÛRES

브리오슈 푀유테 반죽
우유 300g
이스트 75g
밀가루(T45 박력분) 825g
달걀 150g
고운 소금 12g
설탕 50g
포마드 상태의 버터 75g
푀유타주용 저수분 버터 450g

아몬드 크림
버터 50g
설탕 50g
아몬드가루 50g
달걀 50g

크렘 파티시에
우유 900g
액상 생크림 100g
타임 150g
달걀노른자 180g
설탕 180g
커스터드 분말 50g
밀가루 50g
카카오버터 60g
판 젤라틴 8장
버터 100g
마스카르포네 치즈 60g

블랙베리 잼
냉동 블랙베리 250g
설탕 150g
펙틴(pectine NH) 5g
판 젤라틴 1장
레몬즙 10g

필링 가니시 Garniture
생 블랙베리 250g

FEUILLETÉS MÛRES

블랙베리 푀유테
푀유테 뮈르_

MŪ S

11H

브리오슈 푀유테 반죽 *Pâte à brioche feuilletée*
p.254의 레시피를 참조하여 브리오슈 푀유테 반죽을 만든다.

아몬드 크림 *Crème d'amande*
p.259의 레시피를 참조하여 아몬드 크림을 만든다.

크렘 파티시에 *Crème pâtissière*
p.259의 레시피를 참조하여 크렘 파티시에를 만든다. 단, 우유와 생크림을 끓일 때 바닐라 대신 타임을 넣어 향을 우려낸다.

블랙베리 잼 *Confiture de mûre*
젤라틴을 찬물에 담가 불린다. 냄비에 블랙베리와 설탕 분량의 반을 넣고 가열한다. 설탕의 나머지 반 분량은 펙틴과 섞어 넣어준다. 1분간 끓인 뒤 체에 거른 레몬즙과 물을 꼭 짠 젤라틴을 넣고 잘 섞는다.

완성하기 *Montage et finitions*
오븐을 165°C로 예열한다. 반죽을 얇게 민 다음 지름 16cm, 높이 3.5cm 타르트 링 여러 개에 앉힌다. 오븐에서 20분간 굽는다. 꺼내서 식힌다. 타르트 시트 바닥에 아몬드 크림을 채운 다음 생 블랙베리를 넣어준다. 다시 170°C 오븐에 넣어 12분간 굽는다. 꺼내서 식힌다. 크렘 파티시에를 채우고 그 위에 블랙베리 잼을 펴 바른다. 맨 위에 생 블랙베리를 조심스럽게 얹어 완성한다.

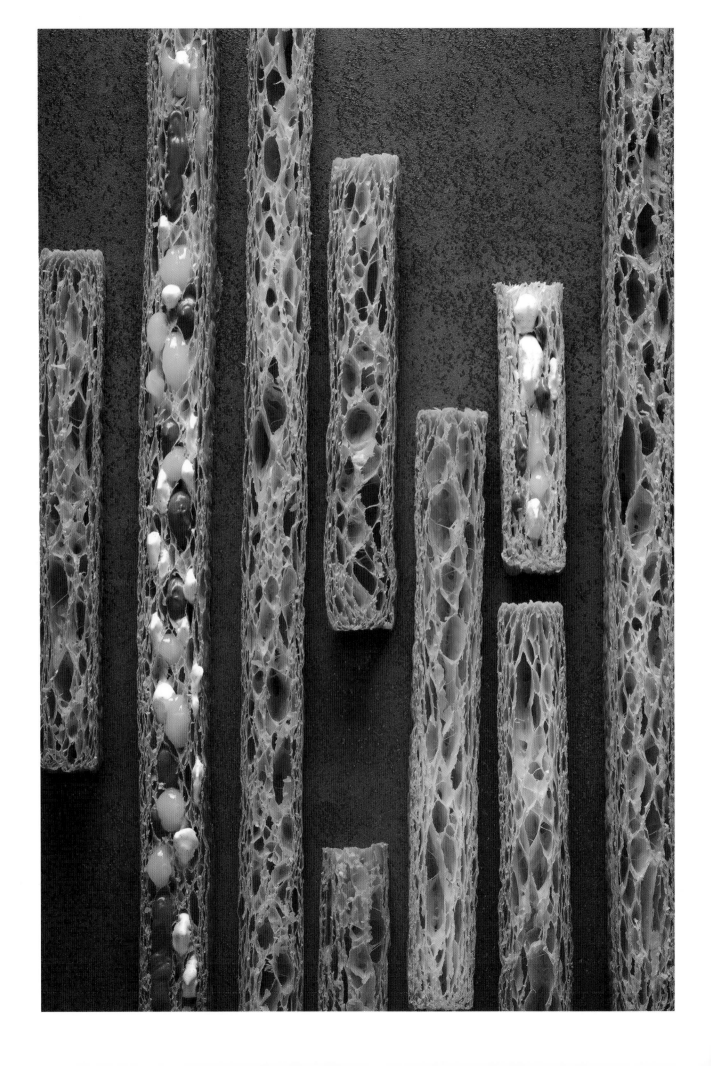

12인분 작업시간 : 50분 조리 : 40분 휴지 : 1시간 30분

즉석 퓌유테
FEUILLETÉS MINUTE

브리오슈 퓌유테 반죽
- 뵈르 마니에 *Beurre manié*
퓌유타주용 버터 330g
밀가루(farine de gruau) 135g
- 데트랑프 *Détrempe*
물 130g
소금 12g
흰 식초 3g
부드러워진 버터 102g
밀가루(farine de gruau) 315g

바닐라 휩드 가나슈
액상 생크림 750g
타히티산 바닐라 빈 4줄기
화이트 초콜릿 170g
판 젤라틴 4장

바닐라 프랄리네
속껍질까지 벗긴 아몬드 375g
바닐라 빈 10g
설탕 250g
물 165g

레몬 젤
레몬즙 500g
설탕 50g
한천 가루(agar-agar) 8g

F U'L FEUILLETĒS MINUTE 11H

퓌유테 미뉘트_즉석 퓌유테

퓌유타주 반죽 *Feuilletage*
p.255의 레시피를 참조하여 퓌유타주 반죽을 만든다.

바닐라 휩드 가나슈 *Ganache montée vanille*
젤라틴을 물에 불린다. 냄비에 생크림 500g, 길게 갈라 긁은 바닐라 빈과 줄기를 함께 넣고 뜨겁게 가열한다. 불을 끄고 30분간 향을 우려낸다. 향이 우러난 생크림을 체에 거른 뒤 잘게 썬 화이트 초콜릿과 물을 꼭 짠 젤라틴 위에 뜨거운 상태로 붓는다. 핸드블렌더로 갈아 혼합한 다음 나머지 차가운 생크림을 넣고 균일하게 섞는다.

바닐라 프랄리네 *Praliné vanille*
p.260의 레시피를 참조하여 바닐라 프랄리네를 만든다.

레몬 젤 *Gel citron jaune*
p.261의 레시피를 참조하여 레몬 젤을 만든다.

완성하기 *Montage et cuisson*
오븐을 170°C로 예열한다. 얇게 민 퓌유타주 반죽을 유산지를 깐 베이킹 팬 위에 놓은 뒤 유산지를 한 장 더 덮고 그 위에 베이킹 팬을 하나 올려 굽는 동안 너무 많이 부풀어 오르지 않도록 눌러준다. 이 상태로 오븐에서 20분간 굽는다. 위에 덮은 베이킹 팬과 유산지를 제거한 뒤 퓌유타주 반죽을 2.5cm 폭으로 길게 자른다. 다시 유산지와 베이킹 팬을 덮고 오븐에 넣어 20분간 더 굽는다. 띠 모양의 퓌유타주를 옆으로 세워 망 위에서 식힌다. 구울 때 부풀면서 생긴 기공에 바닐라 휩드 가나슈를 조금씩 채워 넣는다. 바닐라 프랄리네와 레몬 젤도 마찬가지 방법으로 고루 채워준다.

M'N -

8인분 작업시간 : 45분 조리 : 30분 휴지 : 40분

바스크식 타르트
GÂTEAU BASQUE

파트 사블레 바스크
버터 250g
비정제 황설탕 220g
달걀 90g
밀가루(T55 중력분) 310g
아몬드가루 154g
이스트 16g
소금 3g

아몬드 크림
버터 15g
파넬라 설탕 30g
아몬드가루 30g
달걀 125g

블루베리 마멀레이드
야생 블루베리 1kg
설탕 100g(50g씩 나누어 준비)
펙틴(pectine NH) 10g

완성재료
달걀노른자 1개
생 블루베리

GÂTEAU BASQUE

11H

가토 바스크_바스크식 타르트

파트 사블레 바스크 *Pâte sablée basque*
볼에 버터와 설탕을 넣고 거품기로 저어 섞은 뒤 달걀, 이어서 밀가루, 아몬드가루, 이스트, 소금을 넣고 반죽한다. 반죽을 3mm 두께로 민 다음 냉동실에 40분간 넣어둔다.

아몬드 크림 *Crème d'amande*
전동 스탠드 믹서 볼에 버터와 파넬라 설탕, 아몬드가루를 넣고 플랫비터를 10분간 돌려 혼합한다. 달걀을 조금씩 넣어주며 2~3분간 돌려 섞는다.

블루베리 마멀레이드 *Marmelade de myrtille*
생 블루베리는 필링 가니시용으로 조금 남겨둔다. 블루베리와 설탕 50g을 진공팩에 넣고 100°C 스팀 오븐에서 20분간 익힌다. 이것을 냄비에 붓고 나머지 설탕 50g과 펙틴을 혼합해 넣은 뒤 거품기로 잘 저어 섞는다. 3분간 끓인 뒤 재빨리 식힌다. 짤주머니에 채워 넣는다.

완성하기 *Montage et finitions*
오븐을 175°C로 예열한다. 직사각형 틀의 바닥과 내벽에 반죽을 깔아준 다음 아몬드 크림을 맨 밑에 채운다. 그 위에 블루베리 마멀레이드를 붓고 생 블루베리를 몇 개 얹는다. 틀 모양 직사각형으로 자른 파트 사블레 반죽을 덮어준다.
달걀노른자를 풀어 반죽 크러스트 위에 붓으로 발라준다. 포크로 줄무늬를 낸 다음 오븐에서 30분간 굽는다.

OPERA TIRAMISU

오페라 티라미수

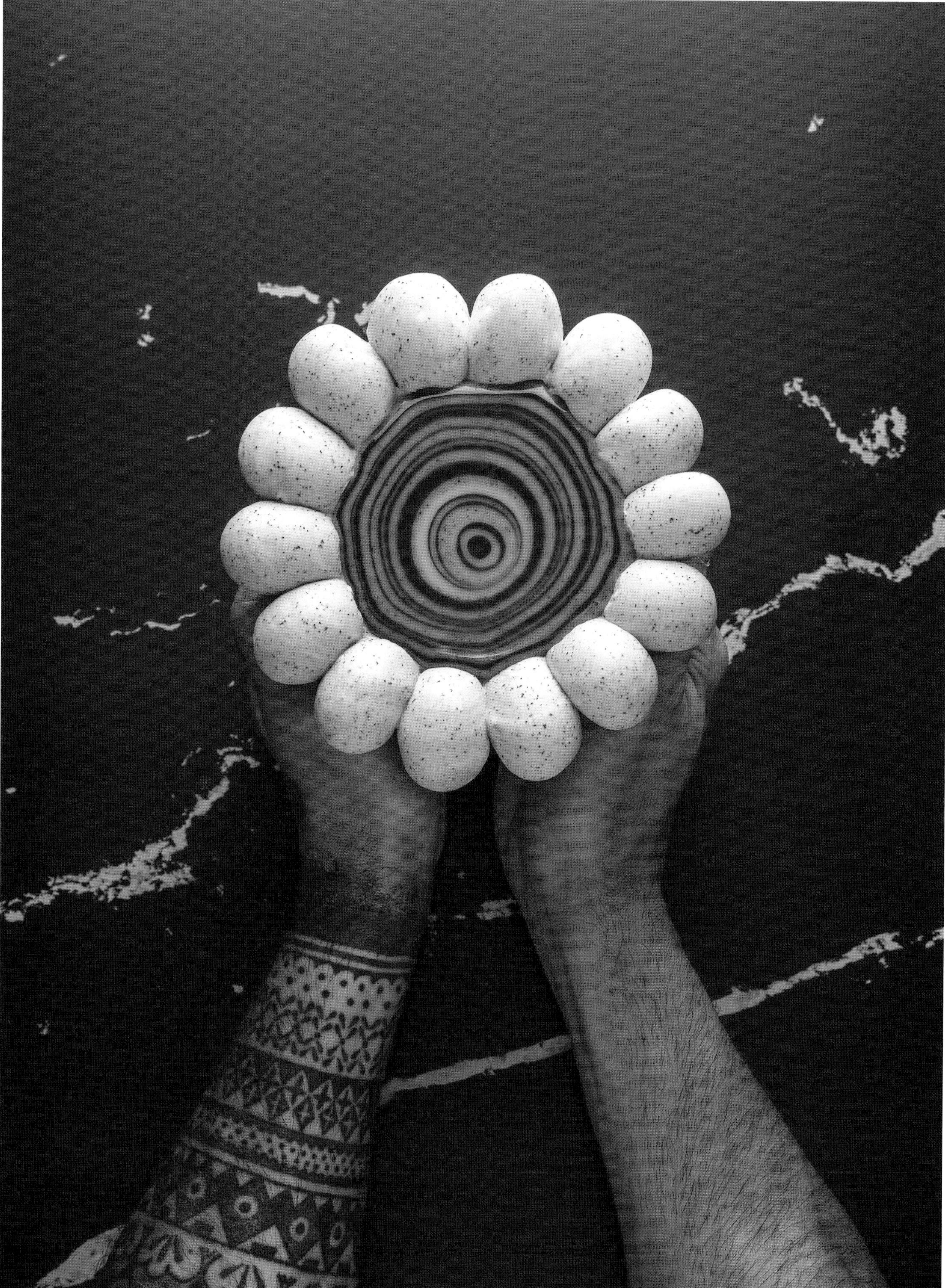

6인분

작업시간 : 1시간 45분

조리 : 1시간 15분

휴지 : 1시간

오페라 티라미수
OPERA TIRAMISU

커피 소프트 비스퀴
커피 가루 80g
버터 70g
달걀노른자 100g
설탕(1) 35g
밀가루 10g
전분 10g
달걀흰자 90g
설탕(2) 70g

카카오닙스 프랄리네
헤이즐넛 180g
카카오닙스 64g
설탕 36g
포도씨유 20g
소금(플뢰르 드 셀) 1g

초콜릿 가나슈
다크초콜릿 260g
생크림 160g
우유 40g
글루코스 시럽(물엿) 50g
버터 60g

커피 밀크 잼
우유 1리터
파넬라 설탕 100g
베이킹소다 10g
페루산 커피 가루
(café Pérou Alain Ducasse) 30g

마스카르포네 무스
마스카르포네 150g
생크림 150g
달걀 2개
파넬라 설탕 20g
커피 가루 5g

초콜릿 코팅
카카오버터 100g
다크 커버처 초콜릿 100g

커피 샹티이 크림
생크림 250g
마스카르포네 25g
설탕 15g
페루산 커피(가루) 5g

커피 프랄리네
아몬드 100g
물 15g
설탕 50g
소금(플뢰르 드 셀) 2g
커피 원두 120g

흰색 글라사주
우유 140g
생크림 240g
설탕(1) 275g
글루코스 시럽(물엿) 90g
전분 25g
설탕(2) 90g
물에 녹인 젤라틴 60g

커피 젤
페루산 커피(에스프레소) 250ml
설탕 12g
한천 가루(agar-agar) 2g

OPÉRA TIRAMISU
오페라 티라미수

커피 소프트 비스퀴 *Biscuit moelleux café*
믹싱볼에 버터와 커피 가루를 넣고 전동 거품기를 돌려 섞는다. 다른 볼에 달걀노른자와 설탕(1)을 넣고 뽀얗게 될 때까지 거품기로 섞는다. 밀가루와 전분을 체에 친다. 달걀흰자에 설탕(2)을 넣고 거품기를 돌려 단단하게 거품을 올린다. 버터와 커피 혼합물에 달걀노른자 혼합물을 넣고 섞는다. 여기에 거품 낸 달걀흰자를 넣고 주걱으로 살살 섞는다. 이어서 밀가루와 전분을 넣고 균일하게 혼합한다. 베이킹 팬에 혼합물을 1cm 두께로 펼친다. 175°C 오븐에서 13분간 굽는다. 지름 3cm 원형으로 잘라낸다.

카카오닙스 프랄리네 *Praliné grué de cacao*
유산지를 깐 베이킹 팬에 헤이즐넛을 한 켜로 펼쳐놓고 180°C 오븐에서 15분간 로스팅한다. 냄비에 설탕을 넣고 가열한 뒤 뜨거운 시럽을 헤이즐넛 위에 붓는다. 여기에 카카오닙스를 더하고 모두 블렌더로 간다. 이어서 포도씨유와 소금을 넣는다. 전동 스탠드 믹서 볼에 넣고 플랫비터로 약 30분간 돌려 바삭한 작은 입자의 프랄리네를 만든다.

초콜릿 가나슈 *Ganache chocolat*
냄비에 우유, 생크림, 글루코스 시럽을 넣고 끓인다. 초콜릿을 넣고 잘 저어 유화한다. 블렌더로 간 다음 정제버터를 넣어 섞는다.

커피 밀크 잼
Confiture de lait café Pérou Alain Ducasse
냄비에 우유를 넣고 끓인 뒤 설탕과 베이킹소다를 넣는다. 중불에서 가끔씩 저어주며 1/4이 되도록 졸여 약 250g의 밀크 잼을 만든다. 여기에 커피 가루를 넣고 잘 섞는다.

마스카르포네 무스 *Mousse mascarpone*
재료를 모두 믹싱볼에 넣고 거품기로 돌려 무스를 만든다.

초콜릿 코팅 *Enrobage chocolat*
냄비에 카카오버터를 녹인 뒤 커버처 초콜릿이 담긴 용기에 붓는다. 핸드블렌더로 갈아 혼합한다.

커피 샹티이 크림 *Chantilly café*
재료를 모두 볼에 넣고 핸드블렌더로 갈아 혼합한다.

커피 프랄리네 *Praliné café*
유산지를 깐 베이킹 팬에 아몬드를 한 켜로 펼쳐놓고 150°C 오븐에서 15분간 로스팅한다. 냄비에 물과 설탕을 넣고 110°C로 가열해 시럽을 만든 뒤 아몬드를 넣는다. 모래처럼 부슬부슬하게 설탕이 묻도록 잘 저어 섞으면서 캐러멜 색이 날 때까지 가열한다. 유산지 위에 펼쳐놓고 식힌다. 완전히 식은 뒤 커피 원두와 함께 푸드 프로세서에 넣고 갈아 페이스트 상태로 만든다.

커피 젤 *Gel café*
냄비에 커피와 설탕, 한천 가루를 넣고 끓을 때까지 가열한다. 식힌 뒤 핸드블렌더로 갈아 혼합한다.

흰색 글라사주 *Glaçage neutre*
냄비에 우유, 생크림, 설탕(1), 글루코스 시럽을 넣고 뜨겁게 가열한다. 전분과 설탕(2)을 섞어서 솔솔 뿌려 넣은 뒤 끓인다. 40°C까지 식힌 다음 물에 녹인 젤라틴을 넣고 핸드블렌더로 갈아 혼합한다. 체에 내린다.

완성하기 *Montage et cuisson*
바구니 모양의 실리콘 틀을 준비한다. 각 틀에 동그랗게 잘라둔 커피 비스퀴를 한 장씩 깔고 카카오닙스 프랄리네를 채운다. 그 위에 초콜릿 가나슈를 첨가한다. 밀크 잼을 덮어준 뒤 냉동실에 30분간 넣어둔다. 이 오페라를 냉동실에 30분간 넣어둔다. 꺼내서 마스카르포네 무스를 얹은 뒤 다시 냉동실에 넣는다. 냄비에 초콜릿 코팅 혼합물을 넣고 35°C로 가열한다. 오페라 케이크를 틀에서 꺼내 디핑 포크를 이용하여 초콜릿 코팅 혼합물에 담갔다 건진다. 유산지를 깐 오븐팬 위에 놓는다. 커피 샹티이 크림을 거품기로 휘핑한 뒤 지름 14mm 깍지를 끼운 짤주머니에 채워 넣는다. 오페라 가장자리에 꽃 모양으로 빙 둘러 짜 얹는다. 마지막으로 꽃 모양 중앙에 커피 프랄리네, 커피 젤, 흰색 글라사주를 채워 넣는다.

10인분 작업시간 : 3시간 조리 : 40분 휴지 : 4시간 + 1시간

바닐라 캐러멜 생토노레

SAINT-HONORÉ VANILLE CARAMEL

푀유타주 반죽

- 뵈르 마니에 *Beurre manié*

푀유타주용 저수분 버터 280g
밀가루(farine de gruau) 110g

- 데트랑프 *Détrempe*

물 100g
소금 10g
흰 식초 2g
부드러워진 버터 80g
밀가루(farine de gruau) 250g

크렘 파티시에

우유 450g
액상 생크림 50g
바닐라 빈 5줄기
달걀노른자 90g
설탕 90g
커스터드 분말 25g
밀가루 25g
카카오버터 30g
판 젤라틴 5장
버터 50g
마스카르포네 치즈 30g

슈 반죽

우유 150g
물 150g
전화당(트리몰린) 18g
소금 6g
버터 132g
밀가루 180g
달걀 5개

캐러멜

설탕 500g
눅눅해짐 방지용 파우더(Nougasec) 100g
물 200g
글루코스 시럽(물엿) 50g

바닐라 샹티이 크림

생크림 500g
마스카르포네 치즈 100g
설탕 17.5g
바닐라 빈 2.5줄기

11H

SAiNT-HONORé 생토노레 바니유 카라멜_바닐라 캐러멜 생토노레

푀유타주 반죽 *Feuilletage*
오븐을 180°C로 예열한다. p.255의 레시피에 따라 3절 밀어접기 6회를 하여 푀유타주 반죽을 만든다. 반죽을 2mm 두께로 민다. 두 장의 베이킹 팬 사이에 넣고 오븐에서 30분간 굽는다.

크렘 파티시에 *Crème pâtissière*
p.259의 레시피를 참조하여 크렘 파티시에를 만든다.

슈 반죽 *Pâte à choux*
오븐을 220°C로 예열한다. p.257의 레시피를 참조하여 슈 반죽을 만든다. 원형 깍지(6호)를 끼운 짤주머니에 채워 넣는다. 베이킹 팬에 동그랗게 슈를 짜 넣은 뒤 160°C로 온도를 낮춘 오븐에 넣고 8분간 굽는다.

캐러멜 *Caramel*
설탕과 누가섹(Nougasec, 습기제거용 첨가물)을 섞어 냄비에 넣고 물, 글루코스 시럽을 추가한다. 짙은 캐러멜 색이 날 때까지 끓인다. 작은 크기로 구워낸 프티 슈를 칼끝으로 찔러 들고 3/4 지점까지 뜨거운 캐러멜에 담가 입힌다. 망에 올려 식힌다.

바닐라 샹티이 크림 *Crème chantilly à la vanille*
볼에 재료를 모두 넣고 핸드블렌더로 갈아 혼합한다.

완성하기 *Montage et cuisson*
구워낸 푀유타주를 지름 16cm 원형으로 자른다. 중앙에 크렘 파티시에를 짜 넣은 뒤 바닐라 샹티이 크림을 둥근 모양으로 그 위에 짜 얹는다. 캐러멜을 씌운 슈를 고루 얹어 완성한다.

H N -

10인분 작업시간 : 1시간 30분 조리 : 25분 휴지 : 1시간 + 24시간 + 4시간

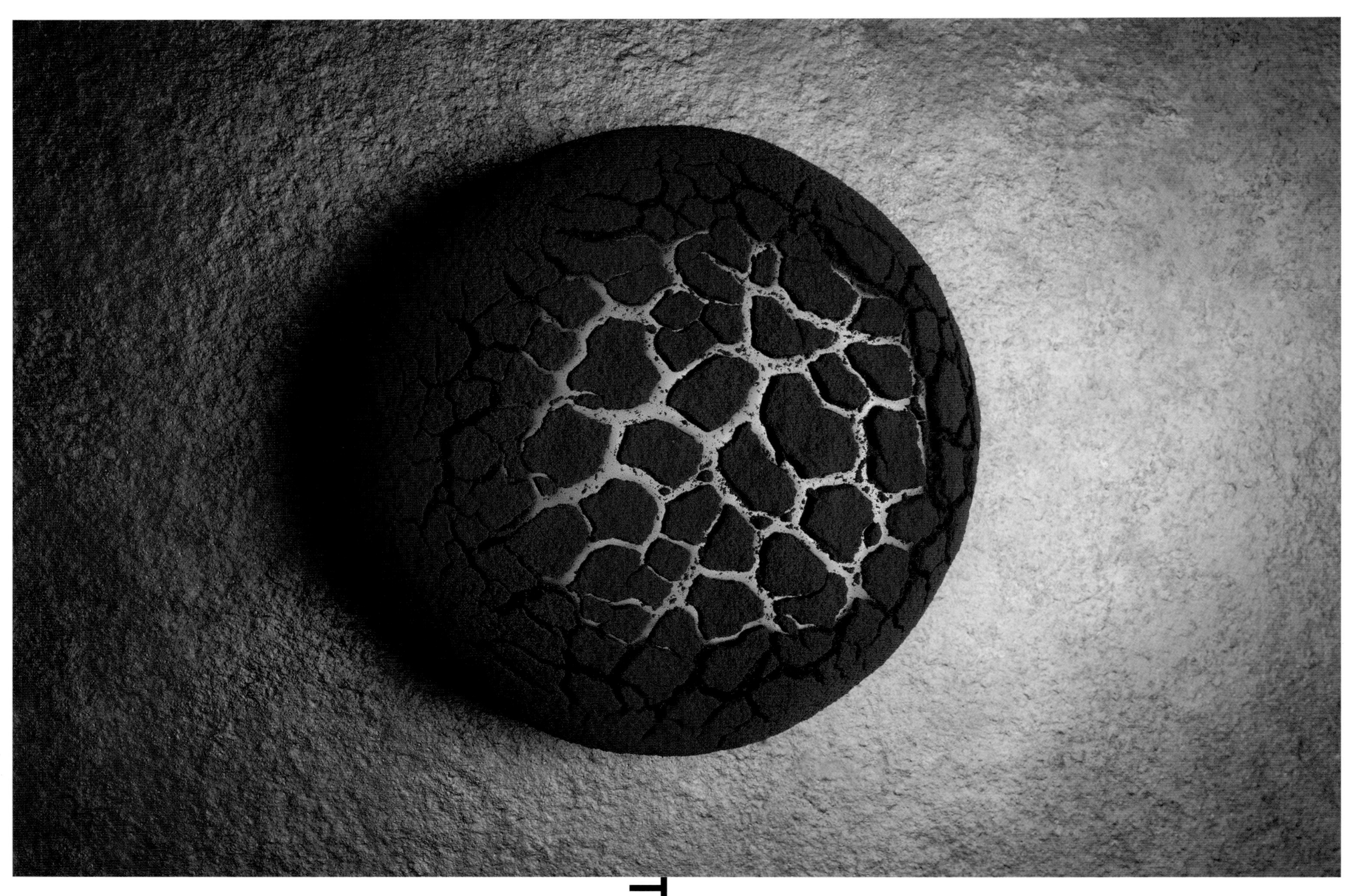

트리아농 초콜릿 케이크
TRIANON CACAO

스펀지 시트
버터 160g
비정제 황설탕 200g
파넬라 설탕 40g
설탕 40g
달걀 75g
밀가루(T55 중력분) 320g
소금(플뢰르 드 셀) 8g
베이킹소다 3g
잘게 부순 헤이즐넛 100g

초콜릿 크레뫼
우유 330g
달걀노른자 80g
설탕 30g
커버처 초콜릿(Alain Ducasse) 220g
페루산 퓨어 카카오 페이스트 20g
판 젤라틴 5장

헤이즐넛 프랄리네
헤이즐넛 200g
설탕 80g
소금(플뢰르 드 셀) 4g
카카오버터 30g
크리스피 푀유틴 30g

헤이즐넛 크리스피
헤이즐넛 프랄리네 260g
크리스피 푀유틴(feuilletine) 120g
소금(플뢰르 드 셀) 1자밤

초콜릿 글라사주
설탕 410g
물 150g
코코아가루 140g
생크림 283g
판 젤라틴 10장

완성재료
코코아가루 10g

R ˙A

TRiANON CACAO

트리아농 카카오_트리아농 초콜릿 케이크

스펀지 시트 *Biscuit*
전동 스탠드 믹서 볼에 버터와 설탕을 넣고 플랫비터를 돌려 섞는다. 달걀을 넣고 이어서 밀가루, 소금, 베이킹소다를 넣어준다. 마지막으로 잘게 부순 헤이즐넛을 넣고 잘 섞는다. 반죽을 3mm 두께로 민다.

초콜릿 크레뫼 *Crémeux chocolat*
p.259의 레시피를 참조하여 크렘 앙글레즈(crème anglaise)를 만든다. 커버처 초콜릿과 퓨어 카카오 페이스트를 녹여 유화한 다음 크렘 앙글레즈를 넣고 블렌더로 갈아 혼합한다. 냉장고에 1시간 넣어둔다.

헤이즐넛 프랄리네 *Praliné noisette*
p.260의 레시피를 참조하여 헤이즐넛 프랄리네를 만든다.

헤이즐넛 크리스피 *Croustillant noisette*
볼에 재료를 모두 넣고 주걱으로 잘 섞는다.

초콜릿 글라사주 *Glaçage noir brillant*
젤라틴을 찬물에 담가 불린다. 냄비에 설탕과 물을 넣고 106°C까지 끓여 시럽을 만든다. 온도에 달하면 코코아가루와 뜨겁게 데운 생크림을 넣고 섞는다. 70°C까지 식힌 후 물을 꼭 짠 젤라틴을 넣어준다. 핸드블렌더로 갈아 혼합한 뒤 체에 내린다. 냉장고에 넣어 24시간 휴지시킨다.

완성하기 *Montage et finitions*
지름 16cm 크기 조약돌 모양 틀(galet Pavoni®)을 준비한다. 오븐을 180°C로 예열한다. 스펀지 시트 반죽을 지름 16cm 원형으로 재단한 뒤 유산지를 깐 베이킹 팬에 놓고 오븐에서 25분간 굽는다. 틀 바닥에 초콜릿 크레뫼를 둘레 내벽까지 오도록 한 켜 깔아준다. 스펀지 시트 위에 헤이즐넛 크리스피를 한 켜 펼쳐 얹어 인서트를 만든 다음 이것을 틀 중앙에 넣는다. 그 위로 다시 초콜릿 크레뫼를 한 켜 덮고 스패출러로 표면을 매끈하게 다듬는다. 냉동실에 4시간 넣어둔다.
트리아농 초콜릿 케이크를 틀에서 분리한다. 초콜릿 글라사주를 40°C로 데운 다음 손잡이가 있는 피처에 붓는다. 초콜릿 케이크를 망 위에 놓고 그 위로 글라사주를 끼얹어 전체를 덮어준다. 코코아가루를 넉넉히 뿌려 표면이 갈라진 듯한 효과를 연출한다.

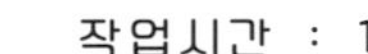

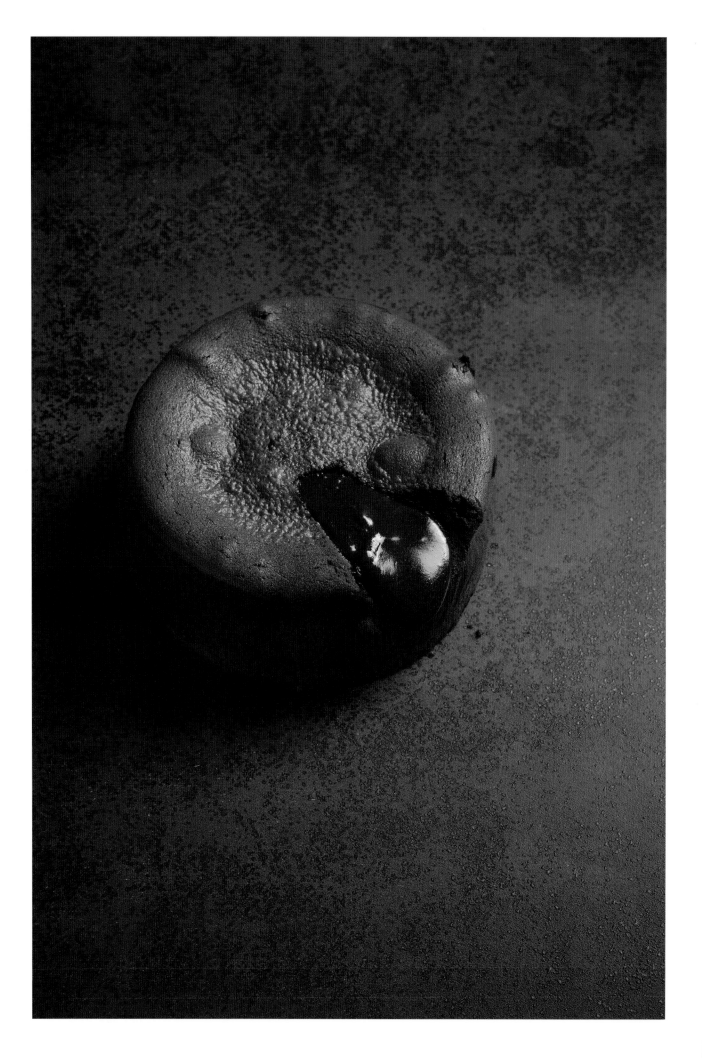

6인분 작업시간 : 15분 조리 : 6분 휴지 : 30분

초콜릿 퐁당 케이크
FONDANT AU CHOCOLAT

과나하(Guanaja) 초콜릿 120g
버터 110g
달걀 180g
비정제 황설탕 120g
밀가루(T55 중력분) 40g
코코아가루 6g
우유 10g

FONDANT CHOC

퐁당 오 쇼콜라_초콜릿 퐁당 케이크

11H

과나하 초콜릿과 버터를 중탕으로 녹인다. 여기에 설탕을 넣고 이어서 달걀, 코코아가루와 합해 체에 친 밀가루를 넣어 섞는다. 마지막으로 우유를 넣어준다.
지름 5.5cm 무스링 안쪽에 유산지를 대준 뒤 반죽 혼합물을 채워 넣고 냉동실에 30분간 넣어둔다.
오븐을 200°C로 예열한다. 퐁당 오 쇼콜라를 오븐에 넣고 약 6분간 굽는다.

8인분 작업시간 : 15분 조리 : 2시간

초콜릿 무스
BLANCS EN MOUSSE CHOCOLATÉS

크렘 앙글레즈
우유 330g
설탕 150g
달걀노른자 200g

초콜릿 무스
과나하(Guanaja) 초콜릿 450g
액상 생크림 600g
달걀흰자 180g

완성재료
과나하 초콜릿 40g

147

BLANCS EN MOUSSE CHOCOLATÉS

11H

블랑 앙 무스 쇼콜라테_초콜릿 무스

크렘 앙글레즈 *Crème anglaise*
냄비에 우유를 넣고 뜨겁게 데운다. 볼에 달걀과 설탕을 넣고 색이 뽀얗게 될 때까지 거품기로 저어 섞는다. 여기에 뜨거운 우유를 붓고 잘 섞은 뒤 다시 냄비로 모두 옮겨 불에 올린다. 80°C까지 잘 저으며 가열한다.

만들기 *Réalisation*
중탕으로 녹인 초콜릿에 크렘 앙글레즈를 넣어 섞는다. 전동 믹서로 휘핑한 생크림에 이 혼합물을 넣고 휘핑한 크림이 군데군데 덩어리로 남아 있도록 너무 균일하지 않게 대충 섞어준다. 달걀흰자를 휘저어 단단하게 거품을 올린다. 혼합물에 넣고 섞는다. 틀에 채워 넣는다. 마이크로플레인 강판으로 초콜릿을 갈아 뿌린다. 냉장고에 2시간 넣어둔다.

12인분(갈레트 2개분) 작업시간 : 1시간 10분 조리 : 45분 휴지 : 1시간 30분

H

견과류, 씨앗 갈레트

GALETTE CÉRÉALES HEALTHY

브리오슈 퓌유테 반죽
밀가루(T45 박력분) 825g
고운 소금 12g
설탕 50g
달걀 150g
우유 300g
이스트 75g
포마드 상태의 버터 75g
푀유타주용 저수분 버터 450g

견과류, 씨앗 페이스트
아마 씨 40g
호박 씨 30g
코코넛 과육 슈레드 20g
잣 23g
아몬드 50g
검은 통깨 18g
흰 통깨 18g
치아 씨 8g
슈거파우더 30g
올리브오일 16g

견과류, 씨앗 크림
아몬드가루 240g
황설탕 260g
버터 260g
달걀 250g
감자전분 5g
견과류, 씨앗 페이스트 250g

가니시
포마드 상태의 버터
비정제 황설탕
로스팅한 견과류, 씨앗

-T -

GALETTE - CÉRÉAL_ES HEALTHY

11H

갈레트 세레알 헬시_견과류, 씨앗 갈레트

브리오슈 퓌유테 반죽 *Pâte à brioche feuilletée*
p.254의 레시피를 참조하여 브리오슈 퓌유테를 만든다.

견과류, 씨앗 페이스트 *Pâte de céréales*
오븐을 160°C로 예열한다. 베이킹 팬에 아몬드를 제외한 각종 씨앗과 견과류를 펼쳐 놓고 오븐에서 10분간 굽는다. 가니시용으로 견과류와 씨앗을 조금 남겨둔다. 구운 견과에 올리브오일과 슈거파우더를 뿌린 다음 아몬드와 함께 푸드 프로세서에 넣고 균일하게 갈아 페이스트를 만든다.

견과류, 씨앗 크림 *Crème de céréales*
전동 스탠드 믹서 볼에 아몬드가루, 황설탕, 버터, 전분을 넣고 거품기로 10분 이상 혼합한다. 달걀을 넣고 2~3분 더 돌려 혼합한 다음 견과류, 씨앗 페이스트를 넣고 잘 섞는다. 짤주머니에 채워 넣는다.

완성하기 *Montage et finitions*
오븐을 165°C로 예열한다. 브리오슈 퓌유테 반죽을 3mm 두께로 민다. 지름 24cm 타르트 링을 반죽 위에 놓고 칼로 가장자리를 잘라낸다. 22cm 링을 대고 또 한 장의 시트를 잘라낸다. 두 번째 반죽 시트 중앙에 견과류, 씨앗 크림을 가장자리 간격(약 5cm)을 남겨두고 채워 넣는다.
그 위에 첫 번째 큰 반죽 시트를 얹어 덮고 둘레를 꼭 눌러 붙인다. 지름 18cm 링을 갈레트 위에 대고 남는 둘레 잉여분은 칼로 잘라낸다.
실리콘 패드 위에 포마드 상태의 버터를 바르고 황설탕을 뿌린 뒤 따로 보관한 견과류와 씨앗을 고루 펼쳐 놓는다. 그 위에 갈레트를 놓고 지름 19cm 타르트 링을 둘러준 다음 오븐에서 45분간 굽는다. 링을 제거한 뒤 갈레트를 뒤집어 놓는다.

12인분(갈레트 2개분) 작업시간 : 1시간 10분 조리 : 45분 휴지 : 1시간 30분

피스타치오 갈레트
GALETTE PISTACHE

브리오슈 푀유테 반죽
밀가루(T45 박력분) 825g
고운 소금 12g
설탕 50g
달걀 150g
우유 300g
이스트 75g
포마드 상태의 버터 75g
푀유타주용 저수분 버터 450g

피스타치오 크림
피스타치오 가루 240g
황설탕 260g
버터 260g
달걀 260g

가니시
포마드 상태의 버터
비정제 황설탕
통 피스타치오 100g

151

GALETTE PISTACHE P T

11H

갈레트 피스타슈_피스타치오 갈레트

브리오슈 푀유테 반죽 *Pâte à brioche feuilletée*
p.254의 레시피를 참조하여 브리오슈 푀유테 반죽을 만든다.

피스타치오 크림 *Crème de pistache*
전동 스탠드 믹서 볼에 피스타치오 가루, 황설탕, 버터를 넣고 10분간 거품기로 저어 혼합한다. 달걀을 넣고 2~3분간 더 돌려 섞는다. 짤주머니에 채워 넣는다.

완성하기 *Montage et cuisson*
오븐을 165°C로 예열한다. 브리오슈 퓌유테 반죽을 3mm 두께로 민다. 지름 24cm 타르트 링을 반죽 위에 놓고 칼로 가장자리를 잘라낸다. 22cm 링을 대고 또 한 장의 시트를 잘라낸다. 두 번째 반죽 시트 중앙에 피스타치오 크림을 채운다. 가장자리는 간격을 조금 남겨둔다. 그 위에 첫 번째 큰 반죽 시트를 얹어 덮고 둘레를 꼭 눌러 붙인다. 지름 18cm 링을 갈레트 위에 대고 남는 둘레 잉여분은 칼로 잘라낸다. 실리콘 패드 위에 포마드 상태의 버터를 바르고 황설탕을 뿌린 뒤 따로 보관해둔 피스타치오를 굵게 다져 고루 펼쳐 놓는다. 그 위에 갈레트를 놓고 지름 19cm 타르트 링을 둘러준 다음 오븐에서 45분간 굽는다. 링을 제거한 뒤 갈레트를 뒤집어 놓는다.

8인분

작업시간 : 1시간

조리 : 12~13분

휴지 : 10시간 + 2시간 30분

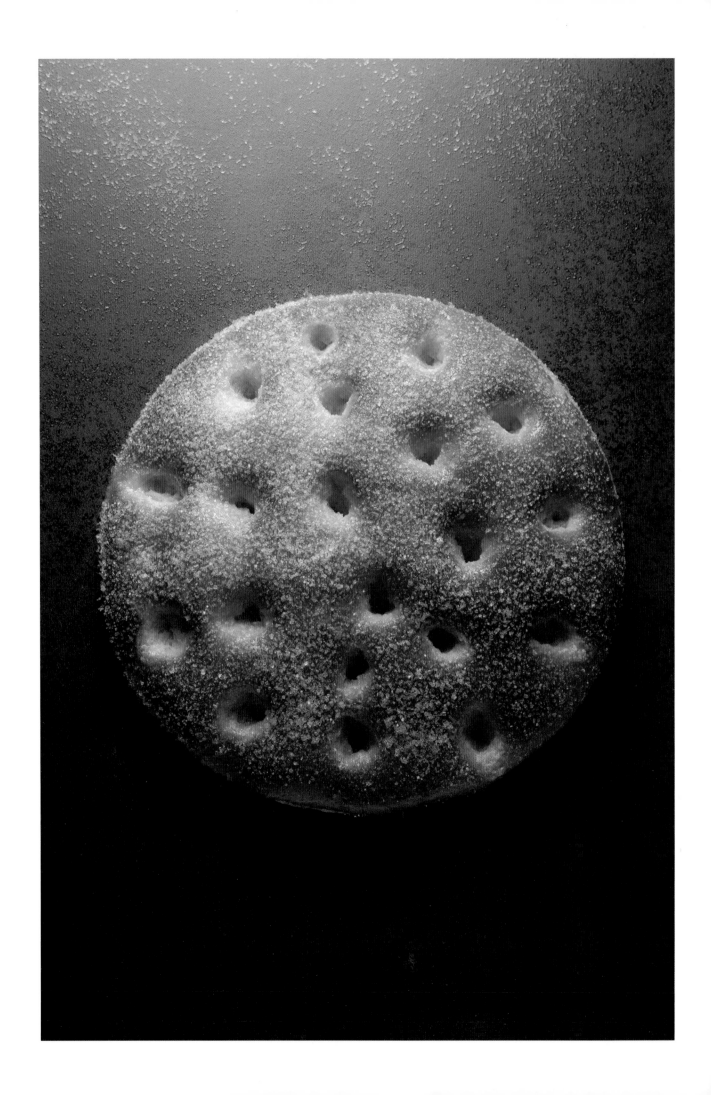

설탕을 뿌린 브리오슈
BRIOCHE AU SUCRE

브리오슈 반죽
밀가루(T45 박력분) 1kg
소금 25g
설탕 120g
제빵용 생 이스트 40g
달걀 450g
우유(전유) 150g
버터 500g

완성재료
가염 버터 150g
설탕 120g

AU SUCRE

BRIOCHE

11H

브리오슈 오 쉬크르_ 설탕을 뿌린 브리오슈

브리오슈 반죽 *Pâte à brioche*
전동 스탠드 믹서 볼에 버터를 제외한 모든 재료를 넣고 도우 훅을 장착한다. 우선 속도 1로 35분간 돌려 반죽한다. 버터를 첨가하고 속도 2로 올린 뒤 8분간 더 돌려 혼합한다. 젖은 면포를 덮은 뒤 상온에서 1시간 동안 발효시킨다.

완성하기 *Montage et cuisson*
반죽을 350g씩 소분한 다음 둥글게 굴려 뭉친다. 버터를 발라둔 원형 알루미늄 틀에 각각 하나씩 채워 넣은 뒤 상온(약 24°C)에서 2시간 30분간 발효시킨다.
오븐을 170°C로 예열한다. 손가락으로 반죽 표면 군데군데를 눌러 구멍을 만든 다음 가염 버터를 채워 넣는다. 설탕을 고루 뿌린 뒤 오븐에서 12~13분 굽는다.

S

6개(중) 분량 작업시간 : 1시간 조리 : 15분 휴지 : 15분

크리스피 에그
ŒUFS CROUSTILLANTS

헤이즐넛 프랄리네
헤이즐넛 500g
설탕 200g
소금(플뢰르 드 셀) 10g
카카오버터 70g
크리스피 푀유틴(feuilletine) 70g

초콜릿 코팅
카카오 70% 초콜릿 500g
카카오버터 500g

달걀 코팅
화이트 초콜릿 250g
카카오버터 250g
지용성 식용색소(오렌지색) 12g

달걀 효과내기
화이트 초콜릿
밀크초콜릿
다크초콜릿 또는 식용 숯

도구
달걀 모양 몰드

– ŒUFS CROUSTiLLANTS · N S

외 크루스티앙_크리스피 에그

11H

헤이즐넛 프랄리네 *Praliné noisette*
오븐을 150°C로 예열한다. 베이킹 팬에 헤이즐넛을 펼쳐놓고 오븐에 넣어 15분간 로스팅한다. 냄비에 설탕을 넣고 가열해 캐러멜을 만든다. 전동 스탠드 믹서 볼에 헤이즐넛과 캐러멜, 소금을 넣고 플랫비터를 돌려 혼합한다. 이어서 카카오버터와 크리스피 푀유틴을 넣어 섞는다.

초콜릿 코팅 *Enrobage chocolat*
냄비에 초콜릿과 카카오버터를 넣고 가열한 뒤 블렌더로 갈아 혼합한다. 코팅 혼합물은 45°C에서 사용한다.

달걀 코팅 *Enrobage œufs*
초콜릿 코팅과 같은 방법으로 만든다.

완성하기 *Montage et finitions*
대리석 작업대에서 템퍼링하기 : 냄비에 초콜릿을 넣고 55°C로 데운다. 대리석 작업대에 붓고 L자 스패출러로 펼쳤다 모았다 하며 27°C까지 온도를 낮춘다. 다시 볼에 넣고 중탕으로 45°C까지 가열한다. 두 부분으로 분리한 달걀 모양 틀 안쪽에 템퍼링한 초콜릿 코팅을 각각 깔아준 다음 헤이즐넛 프랄리네를 채워 넣는다. 다시 초콜릿을 한 켜 발라 덮은 다음 두 개의 틀을 붙인다. 냉장고에 15분 넣어둔다.

달걀 효과내기 *Effet œufs*
굳은 달걀을 틀에서 분리한다. 스프레이 건으로 달걀 코팅을 분사해 씌운다. 이어서 식용색소를 붓으로 점점이 뿌려준다.

GATEAUX DE AGE GATEAUX DE VO A E

GATEAUX D GE GATEAUX OYAGE

GATEA X E D VOY E

VOY TEAUX V YAGE

E V YA

DE

GATEAUX YA E

G A X

GATE X D

GATE X

GAT A

GATEA DE VOY X

VO G EA X G

EAUX Y EAUX DE VOY GE

AU DE A EAUX V YAGE

GATEA X E EAUX DE VOYAG

GATE X E O GATEAUX DE VOYAGE

G A E GATEAUX DE V E

A EA GATEAUX D

A AU E VO GE GATEAUX D

GA A DE VOYA E

DE E V YAGE

GA U DE DE VOYA

GATEAUX VOY ATEA X E V Y E

GATEAUX D T AUX DE VOYAGE

GATEAUX DE VOYAGE GAT‾ VOYAGE
GATEAUX DE VOYAGE AT‾ U YA E
GATEAUX D‾ VOYAGE GA EA V E
GAT‾A E VOYAGE GATEAU Y ‾
GATc UX ‾ V YAGE GATE E
E VOYAGE GA ‾ X D‾ YAGE
X DE VOYA E GATcA E V YAGE
GATEAU E YAGE ‾ DE V YAGE
GAT‾A X D VO AG‾ E V YAGE
A EA DE OYAG ‾ OYAGE
ATEA X DE V EAUX D‾ VOYAGE
GAT‾ U DE VO A E ‾ A E
G VOYA ‾
G A DE ‾
GA EA AU DE V
ATE U ‾ V
A X VOYAG‾
AUX ‾ YAG
‾ OY E
YA

GATE A X D‾ VOY ‾
‾ X D‾ VOYAG
GA E AUX DE OYAGE
GATE U 가토 드 부아야주 AUX DE V AGE

6인분

작업시간 : 4시간

조리 : 25분

휴지 : 2시간

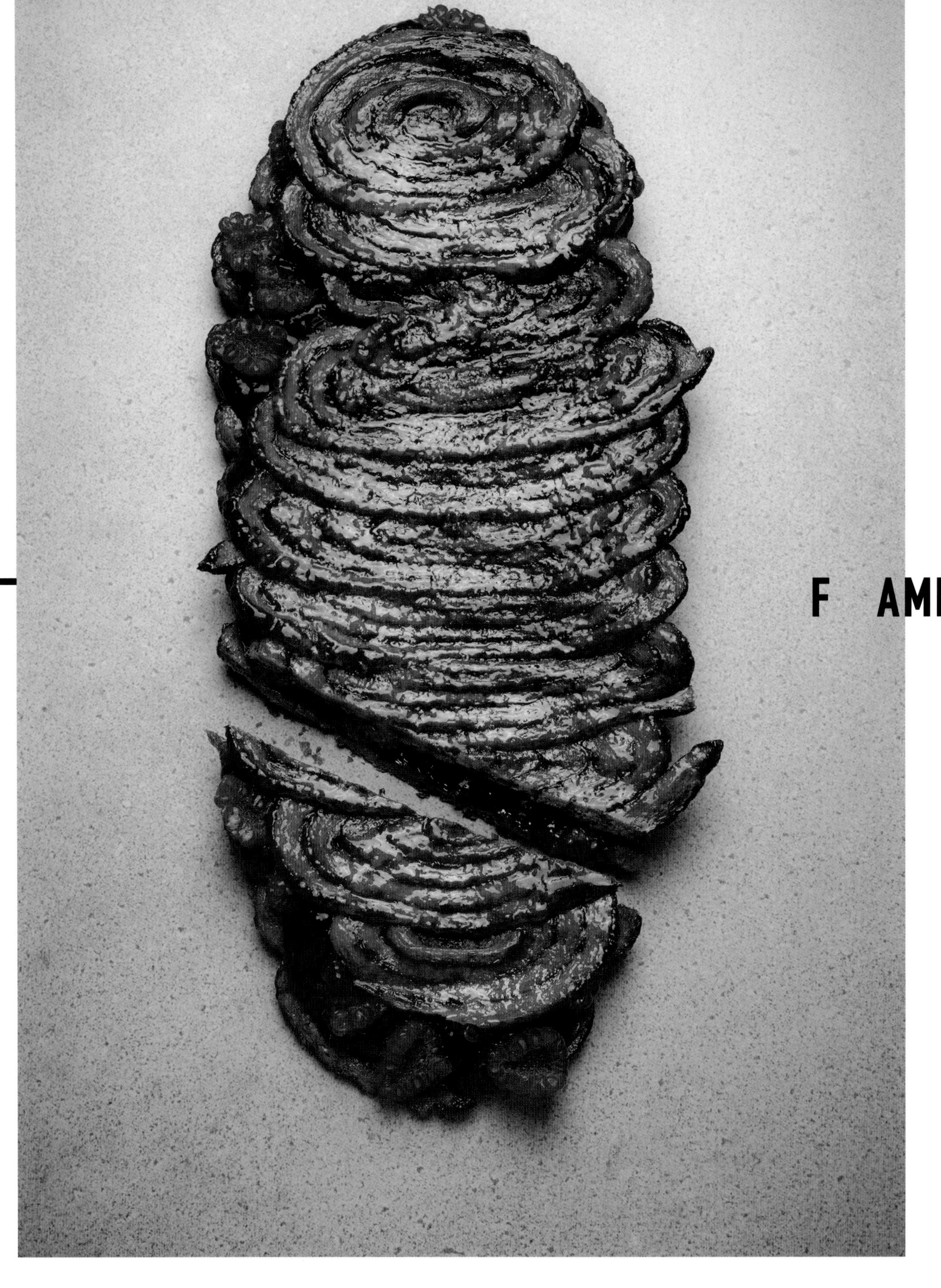

F AMB

크리스피 라즈베리 아를레트
CROUSTILLANT FRAMBOISE

푀유타주 반죽
- 뵈르 마니에 *Beurre manié*
퓌유타주용 저수분 버터 280g
밀가루(farine de gruau) 110g
- 데트랑프 *Détrempe*
물 100g
소금 10g
흰 식초 2g
부드러워진 버터 80g
밀가루(farine de gruau) 250g

아를레트
퓌유타주 반죽 500g
설탕 150g

라즈베리 잼
라즈베리 500g
라즈베리 즙 75g
설탕 150g
글루코스 분말 50g
펙틴(pectine NH) 3g
주석산 3g

완성재료
생 라즈베리

CROUSTILLANT

FRAMBOISE

11H

크루스티앙 프랑부아즈
_크리스피 라즈베리 아를레트

퓌유타주 *Feuilletage*
p.255의 레시피에 따라 3절 밀어접기 6회 퓌유타주 반죽을 만든다. 반죽을 2mm 두께로 민다.

아를레트 *Arlette*
퓌유타주 시트 양면에 붓으로 물을 살짝 발라준 다음 설탕을 전체에 고루 뿌린다. 김밥처럼 말아준 다음 냉동실에 1시간 넣어둔다.
오븐을 170°C로 예열한다. 아를레트를 1cm 두께로 자른다. 유산지 위에 가로로 납작하게 놓고 끝부분을 조금씩 겹쳐가며 여러 개의 아를레트를 연결한다. 그 위에 유산지를 한 장 덮은 다음 밀대로 3mm 두께로 밀어준다. 베이킹 팬에 올린 뒤 오븐에 넣어 25분간 굽는다.

라즈베리 잼 *Confiture de framboise*
냄비에 설탕과 라즈베리 즙을 넣고 115°C까지 끓인다. 라즈베리를 넣어준다. 과일의 수분이 모두 나오면 글루코스와 펙틴, 주석산을 넣고 다시 104°C까지 끓인다. 잼을 덜어낸다.

완성하기 *Montage et finitions*
아를레트에 라즈베리 잼 분량의 반을 발라 채운 뒤 다른 아를레트로 덮어준다. 생 라즈베리를 몇 개 올려 장식한다.

8인분 작업시간 : 15분 조리 : 12~15분

견과류, 씨앗 바

BARRES AUX CÉRÉALES

버터 70g
비정제 황설탕 50g
파넬라 설탕 30g
글루코스 시럽(물엿) 22g
오트밀 플레이크 140g
피스타치오 60g
볶은 통깨 30g
아마 씨 30g
꿀 12g
건 무화과(4등분한다) 80g
건 크랜베리 80g

RR

BARRES AUX CÉRÉALES

11H

바르 오 세레알_견과류, 씨앗 바

냄비에 버터, 비정제 황설탕, 파넬라 설탕, 글루코스 시럽을 넣고 끓인다. 볼에 과일과 씨앗, 견과류 재료를 모두 넣고 섞는다. 끓는 시럽에 꿀과 과일, 씨앗, 견과류 혼합물을 모두 넣고 잘 섞어준다. 오븐을 180°C로 예열한다. 혼합물을 3.5cm x 5.5cm 크기의 작은 스텐 직사각형 프레임 틀에 나누어 채워 넣는다. 오븐에서 12~15분간 굽는다. 혼합물의 색이 밝게 유지되도록 구운 뒤, 오븐에서 꺼내 틀을 제거한다.

6인분 작업시간 : 20분 조리 : 2분 30초

와플 스틱
BARRES DE GAUFRES

우유 500g
브라운 버터(beurre noisette) 400g
바닐라 빈 2줄기
밀가루(T55 중력분) 460g
소금 6g
달걀흰자 220g
설탕 40g
비정제 황설탕 90g
우박설탕 150g

GAUFRES

11H

DE

BARRES

바르 드 고프르_와플 스틱

냄비에 우유, 버터, 바닐라 빈을 넣고 40°C로 가열한다. 볼에 밀가루와 소금을 넣고 섞은 뒤 냄비의 우유 혼합물을 3번에 나누어 붓고 탄력 있게 잘 섞어 반죽한다. 전동 스탠드 믹서 볼에 달걀흰자를 넣고 설탕을 넣어가며 거품을 올린다. 거품 낸 달걀흰자를 반죽 혼합물에 넣고 주걱으로 살살 섞는다. 우박설탕을 넣어준다. 와플 틀에 반죽을 넣고 2분 30초간 굽는다. 와플을 길쭉한 스틱 모양으로 자른다. 기호에 따라 샹티이 크림이나 다른 크림을 얹는다.

6인분 | 작업시간 : 1시간 | 조리 : 6분

피낭시에
FINANCIERS

헤이즐넛 피낭시에
헤이즐넛 가루 60g
슈거파우더 100g
병아리콩 가루 40g
달걀흰자 100g
브라운버터(beurre noisette) 100g
바닐라 빈 1줄기
레몬 콩피 160g

크리미 캐러멜
액상 생크림 200g
우유 50g
글루코스 시럽(1) 50g
바닐라 빈 1줄기
설탕 100g
글루코스 시럽(2) 100g
소금(플뢰르 드 셀) 1자밤
버터 75g

완성재료
굵게 다진 볶은 헤이즐넛 150g

피낭시에
FINANCIERS

11H

헤이즐넛 피낭시에 *Financier noisette*
전동 스탠드 믹서 볼에 헤이즐넛 가루, 슈거파우더, 밀가루를 넣고 플랫비터를 돌려 섞는다. 상온에 두었던 달걀흰자를 넣고 혼합한 뒤 갈색이 살짝 날 때까지 가열해 녹인 버터를 따뜻한 상태로 넣고 섞는다. 식힌다. 레몬 콩피와 길게 갈라 긁은 바닐라 빈 가루를 넣고 잘 섞은 뒤 짤주머니에 채워 넣는다.

크리미 캐러멜 *Caramel onctueux*
냄비에 생크림, 우유, 글루코스 시럽(1), 바닐라, 소금을 넣고 가열한다. 다른 냄비에 설탕과 글루코스 시럽(2)을 넣고 끓인 뒤 뜨겁게 데운 생크림을 넣어준다. 혼합물을 다시 105°C까지 끓인 다음 체에 걸러 내린다. 캐러멜의 온도가 70°C까지 떨어지면 버터를 넣고 블렌더로 갈아 혼합한다.

완성하기 *Montage et finitions*
오븐을 200°C로 예열한다. 피낭시에 틀 높이에 맞춰 반죽을 짤주머니로 짜 넣는다. 그 위에 굵게 부순 헤이즐넛을 올린다. 오븐에서 6분간 굽는다. 오븐에서 꺼낸 뒤 틀을 제거하고 약 15분 정도 식힌다. 짤주머니를 이용하여 크리미 캐러멜을 각 피낭시에의 아랫면으로 짜 넣는다.

8인분 작업시간 : 2시간 조리 : 30분

바닐라 슈케트
CHOUQUETTES VANILLE

슈 반죽
우유 150g
물 150g
전화당(트리몰린) 18g
소금 6g
버터 130g
밀가루 180g
달걀 5개
우박설탕 40g

크렘 파티시에
우유 450g
액상 생크림 50g
바닐라 빈 2줄기
설탕 90g
커스터드 분말 25g
밀가루 25g
달걀노른자 5개분
카카오버터 30g
판 젤라틴 4장
버터 50g
마스카르포네 치즈 30g

크렘 디플로마트
크렘 파티시에 500g
액상 생크림 150g

완성재료
슈거파우더
바닐라 가루

CHOUQUETTES VANILLE

슈케트 바니유_바닐라 슈케트

11H

슈 반죽 *Pâte à choux*
p.257의 레시피를 참조하여 슈 반죽을 만든다. 오븐을 180°C로 예열한다. 논스틱 코팅 오븐팬 위에 별 깍지를 끼운 짤주머니로 슈 반죽을 각 25g씩 동그랗게 짜 얹는다. 슈케트에 우박설탕을 뿌린 다음 오븐에서 30분간 굽는다.

크렘 파티시에 *Crème pâtissière*
p.259의 레시피를 참조하여 크렘 파티시에를 만든다.

크렘 디플로마트 *Crème diplomate*
차가운 믹싱볼에 생크림을 넣고 휘핑하여 샹티이 크림을 만든다. 샹티이 크림을 크렘 파티시에에 넣고 알뜰주걱으로 살살 섞어준다.

완성하기 *Montage et finitions*
지름 4mm 깍지를 끼운 짤주머니에 크렘 디플로마트를 채운 뒤 슈케트 아랫면을 찔러 크림을 짜 넣는다. 슈거파우더와 바닐라가루를 뿌려 완성한다.

6인분 작업시간 : 2시간 조리 : 8분 휴지 : 10시간

TA T

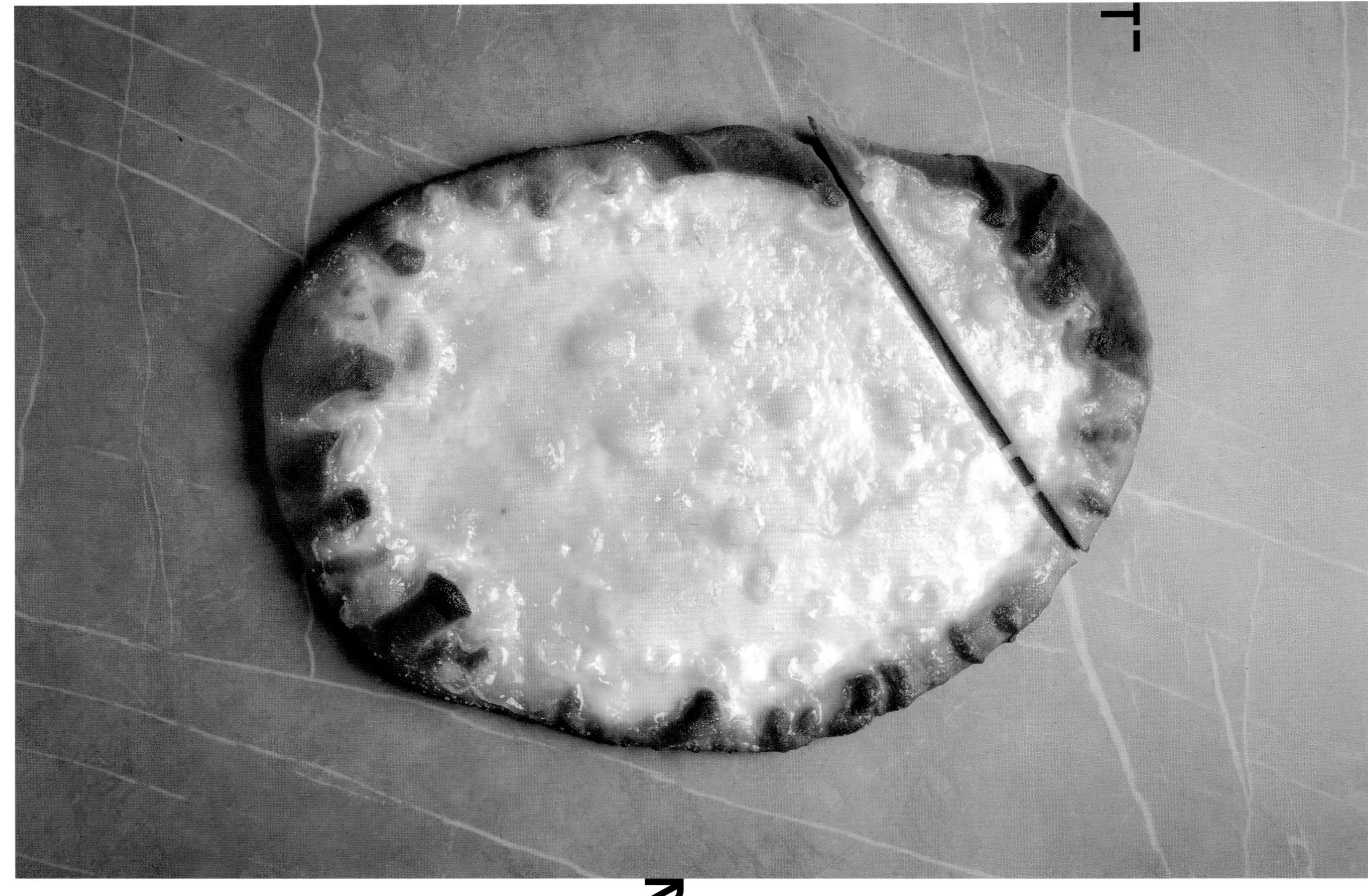

R

크림 타르트
TARTE À LA CRÈME

브리오슈 반죽
밀가루(T45 박력분) 500g
소금 12g
설탕 60g
제빵용 생 이스트 20g
달걀 225g
우유(전유) 75g
버터 250g
더블크림 50g

완성재료
세몰리나
가염 버터
비멸균 더블크림(crème Borniambuc®)
설탕

TARTE À LA CRÈME 타르트 아 라 크렘_크림 타르트

11H

브리오슈 반죽 *Pâte à brioche*
p.254의 레시피를 참조하여 브리오슈 반죽을 만든다. 반죽 마지막에 더블크림을 넣어준다.

완성하기 *Montage et fintions*
오븐을 180°C로 예열한다. 반죽을 450g씩 소분한 다음 세몰리나 가루를 뿌린 작업대에 놓고 밀대로 민다. 매끈하지 않은 타원형으로 만든 뒤 비멸균 더블크림을 펴 바르고 깍둑 썬 가염 버터를 군데군데 얹는다. 설탕과 세몰리나를 뿌린 뒤 오븐에서 8분간 굽는다.

8인분 작업시간 : 3시간 조리 : 15분 + 15분 휴지 : 1시간 + 1시간

코코넛 볼
CŒURS DE COCO

코코넛 휩드 가나슈
화이트 초콜릿 140g
판 젤라틴 4장
액상 생크림 530g
코코넛 퓌레 120g

코코넛 프랄리네
코코넛 과육 슈레드 320g
통 아몬드 100g
설탕 120g
소금(플뢰르 드 셀) 3g

CŒURS

171

- DE COCO

쾨르 드 코코_코코넛 볼

11H

코코넛 휩드 가나슈 *Ganache montée coco*
젤라틴을 물에 불린다. 냄비에 생크림 분량의 반을 넣고 뜨겁게 가열한 뒤 체에 거르며 미리 녹여둔 화이트 초콜릿과 물을 꼭 짠 젤라틴 위에 붓는다. 핸드블렌더로 모두 갈아 혼합한다. 코코넛 퓌레와 나머지 생크림을 넣고 다시 한 번 블렌더로 갈아 혼합한다.

코코넛 프랄리네 *Praliné coco*
오븐을 150°C로 예열한다. 논스틱 코팅 오븐팬에 코코넛 슈레드 가루를 펼쳐 놓은 뒤 오븐에 넣어 15분간 고르게 로스팅한다. 같은 방법으로 아몬드를 오븐에 구운 뒤 코코넛 슈레드와 섞는다. 냄비에 설탕을 넣고 170°C까지 가열해 황금색 캐러멜을 만든 다음 아몬드와 코코넛 혼합물에 붓고 잘 섞는다. 소금을 첨가한다. 푸드 프로세서 또는 블렌더에 넣고 갈아준다.

완성하기 *Montage et finitions*
지름 3.5cm 반구형 실리콘 틀에 코코넛 가나슈를 채워 넣고 둘씩 붙여 동그랗게 만든 다음 냉동실에 1시간 넣어 굳힌다. 지름 4.5cm 반구형 틀에 코코넛 프랄리네로 반을 채운 뒤 얼려둔 코코넛 가나슈 볼을 놓는다. 그 위에 나머지 반구형 틀을 얹어 구형을 만든다. 틀 위의 구멍으로 코코넛 프랄리네를 채워 넣는다. 냉동실에 1시간 넣어둔다.
구형 틀을 제거한 다음 코코넛 슈레드 가루에 굴린다.

8인분 작업시간 : 1시간 30분 조리 : 15분 + 15분 휴지 : 15분

라즈베리 뤼네트 타르틀레트
LUNETTES FRAMBOISES

파트 쉬크레
버터 150g
슈거파우더 95g
아몬드가루 30g
소금(sel de Guérande) 1g
달걀 1개
밀가루(T55 중력분) 250g

아몬드 크림
버터 75g
설탕 75g
아몬드가루 75g
달걀 75g

라즈베리 잼
냉동 라즈베리 250g
설탕 150g
펙틴(pectine NH) 5g
레몬즙 10g

완성재료
생 라즈베리
슈거파우더

뤼네트 프랑부아즈_
BONJOUR
라즈베리 뤼네트 타르틀레트

11H

파트 쉬크레 *Pâte sucrée*
p.257의 레시피를 참조하여 파트 쉬크레 반죽을 만든다.
오븐을 160°C로 예열한다. 반죽을 2mm 두께로 민 다음 미리 버터를 발라둔 지름 5cm, 높이 2.5cm 타르트 링에 앉힌다. 남은 반죽은 보관한다. 유산지를 깐 베이킹 팬에 타르트 시트를 올린 뒤 오븐에 넣어 15분간 굽는다.

아몬드 크림 *Crème d'amande*
p.259의 레시피를 참조하여 아몬드 크림을 만든다. 짤주머니에 채워 넣는다.

라즈베리 잼 *Confiture de framboise*
p.261의 레시피를 참조하여 라즈베리 잼을 만든다.

완성하기 *Montage et cuisson*
남은 반죽을 2mm 두께로 민 다음 지름 5cm 크기의 원형 커터로 잘라낸다. 깍지를 사용해 원하는 모양의 스마일 표정을 만든다.
구워낸 타르트 시트에 아몬드 크림을 반쯤 채운 다음 생 라즈베리를 몇 개 넣어준다. 라즈베리 잼을 타르트 시트 높이까지 채운다. 그 위에 스마일 모양의 반죽 시트를 얹은 뒤 180°C 오븐에서 15분간 굽는다. 꺼내서 15분 정도 식힌 뒤 슈거파우더를 뿌린다.

6인분 작업시간 : 20분 조리 : 18분

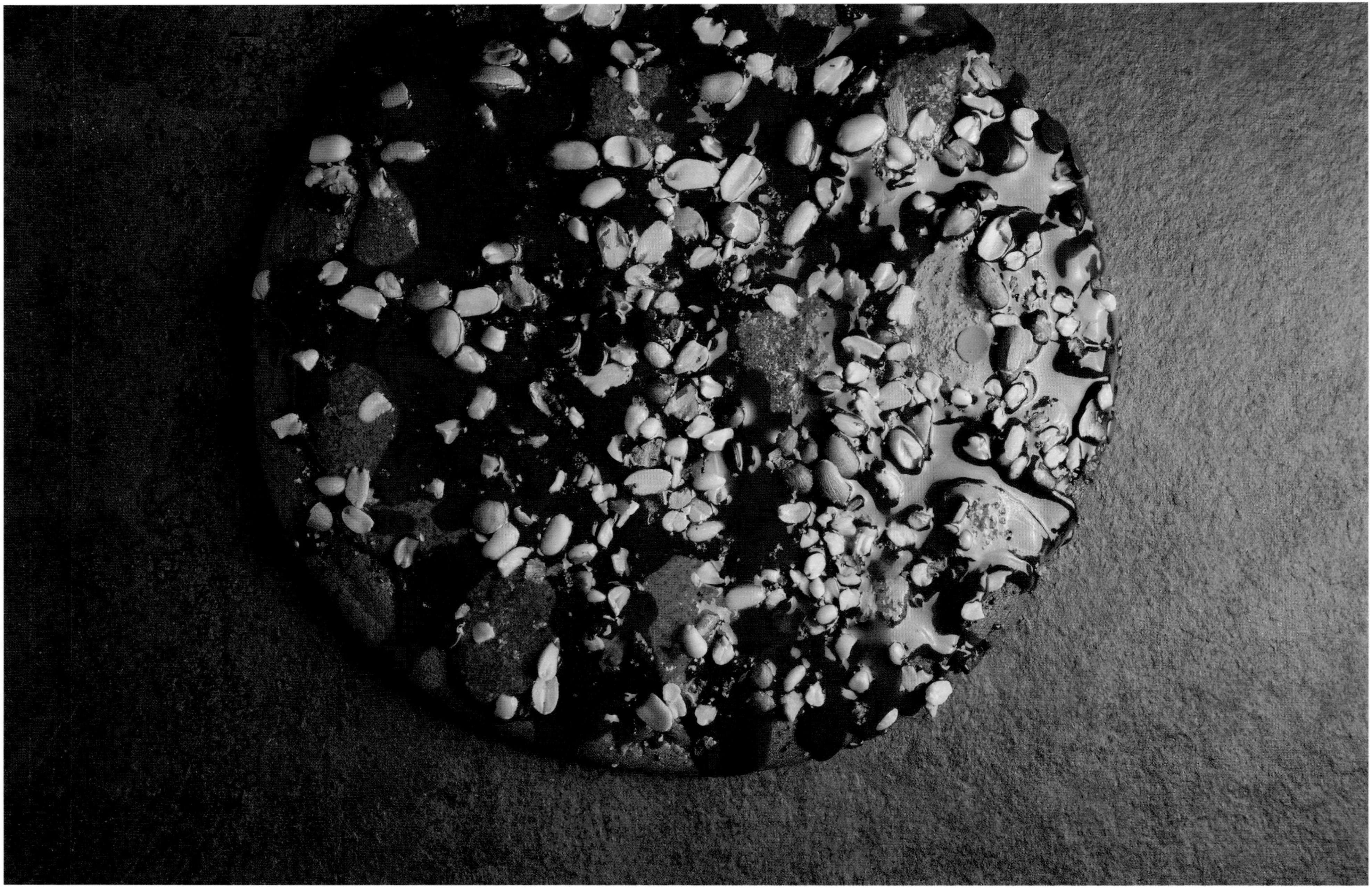

초콜릿 쿠키 XXL
COOKIE CHOCOLAT XXL

버터 200g
비정제 황설탕 200g
설탕 100g
파넬라 설탕 50g
달걀 100g
밀가루(T55 중력분) 400g
잘게 다진 초콜릿(1) 340g
잘게 다진 초콜릿(2) 100g
땅콩 100g

COOKiE

X
L
XXL

쿠키 쇼콜라_초콜릿 쿠키 XXL

전동 스탠드 믹서 볼에 버터와 세 종류 설탕을 모두 넣고 플랫비터를 돌려 섞는다. 달걀을 넣은 뒤 이어서 밀가루와 소금을 넣고 계속 돌려 혼합한다. 잘게 다진 초콜릿(1)을 넣어준다. 오븐을 165°C로 가열한다. 쿠키 반죽 혼합물을 원형틀에 붓고 오븐에서 15분간 굽는다. 오븐에서 꺼낸 다음 잘게 다진 초콜릿(2)과 땅콩을 고루 뿌린 뒤 같은 온도의 오븐에서 3분간 더 굽는다.

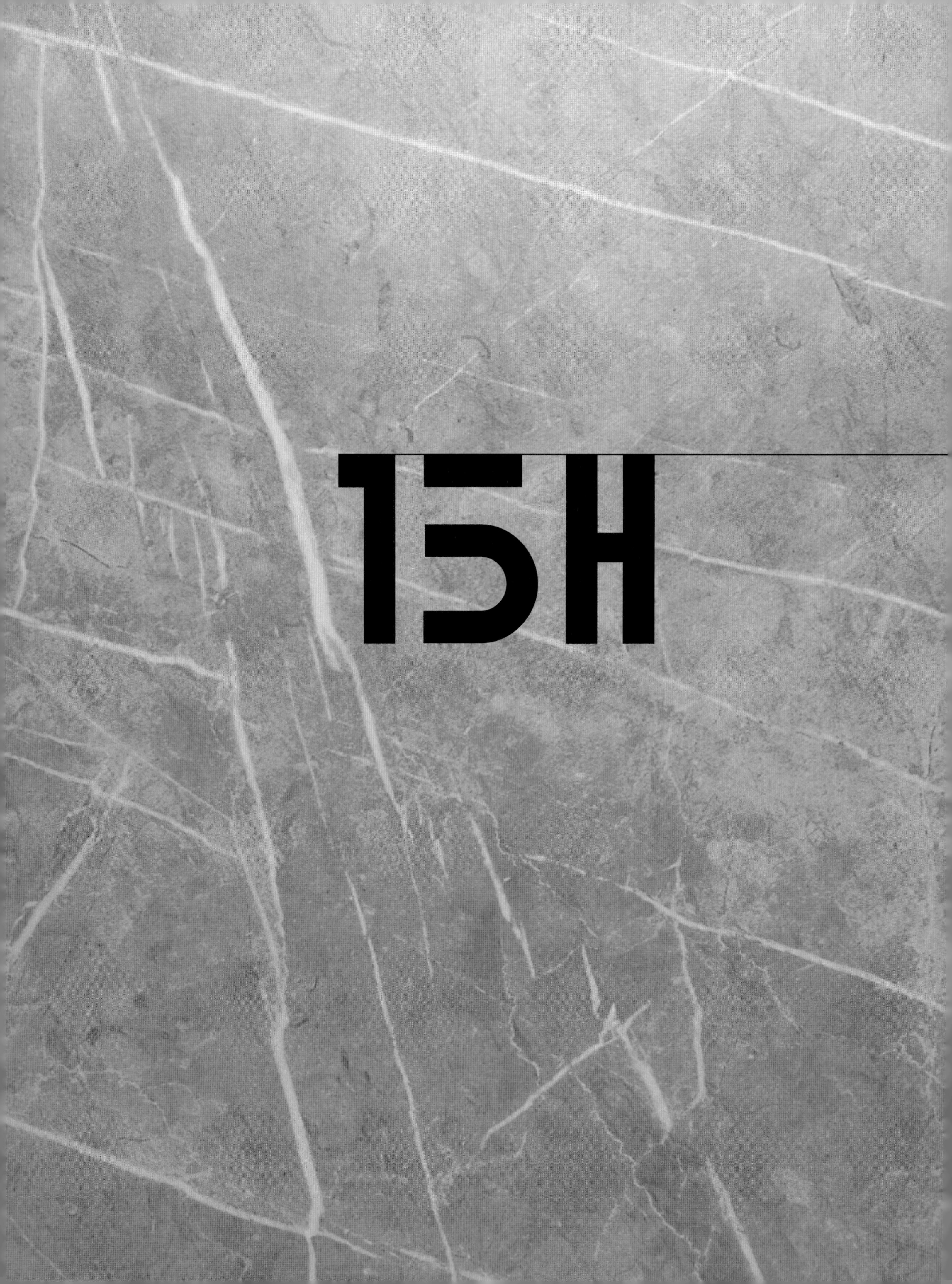

15H

6인분

작업시간 : 1시간

조리 : 40분

J H

카페 조호르
CAFÉ JOHOR

그라인드 커피 페이스트
원두커피 알갱이 250g
슈거파우더 50g
포도씨유 140g

커피 샹티이 크림
액상 생크림 250g
마스카르포네 치즈 25g
파넬라 설탕 15g
그라인드 루왁 커피 5g

커피 아이스크림
우유 400g
액상 생크림 250g
달걀노른자 120g
파넬라 설탕 30g
커피 가루 60g
안정제(super neutrose) 2g

커피 가보트 크리스피
달걀흰자 100g
슈거파우더 80g
밀가루 40g
물 430g
녹인 버터 40g
소금 3g
그라인드 루왁 커피 25g

CAFÉ JOHOR 카페 조호르

15H

그라인드 커피 페이스트 *Pâte de café moulu*
재료를 모두 푸드 프로세서에 넣고 갈아 매끈한 혼합물을 만든다.

커피 샹티이 크림 *Chantilly café*
용기에 재료를 모두 넣고 핸드블렌더로 갈아 혼합한다.

커피 아이스크림 *Glace café*
크렘 앙글레즈를 만든다. 우선 냄비에 우유, 생크림, 커피 가루, 안정제를 넣고 끓인다. 볼에 달걀노른자와 파넬라 설탕을 넣고 색이 뽀얗게 변할 때까지 거품기로 저어 섞는다. 여기에 뜨거운 우유, 생크림 혼합물을 붓고 섞은 뒤 다시 냄비에 옮겨담고 80°C까지 가열한다. 크렘 앙글레즈와 커피 페이스트를 유리볼에 넣고 핸드블렌더로 갈아 혼합한다. 아이스크림 메이커에 넣어 돌린다. 차가운 용기에 넣어 냉동실에 12~24시간 보관한다.

커피 가보트 크리스피 *Gavotte café*
볼에 달걀흰자, 슈거파우더, 체에 친 밀가루를 넣고 거품기로 섞는다. 냄비에 물, 버터, 소금을 넣고 끓을 때까지 가열한 다음 혼합물에 붓고 잘 섞는다. 냉장고에 1시간 정도 넣어 식힌다.
오븐을 170°C로 예열한다. 가보트 혼합물을 짤주머니에 채워 넣는다. 짤주머니 끝을 살짝 잘라 작은 구멍을 낸 다음 논스틱 오븐팬 위에 가늘게 격자망 무늬로 짜 얹는다(사진 참조). 루왁 커피 가루를 솔솔 뿌린 다음 오븐에서 40분간 굽는다.

플레이팅 *Dressage*
커피 샹티이 크림 재료를 볼에 넣고 거품기를 돌려 휘핑한다. 서빙용 볼 바닥에 커피 페이스트를 넣고 커피 샹티이 크림을 넉넉히 2테이블스푼씩 담는다. 커피 아이스크림을 돌돌 말아 떠낸 뒤 샹티이 위에 얹는다. 커피 가보트 크리스피를 아이스크림 위에 조심스럽게 얹어준다.

6인분 작업시간 : 1시간 조리 : 20분

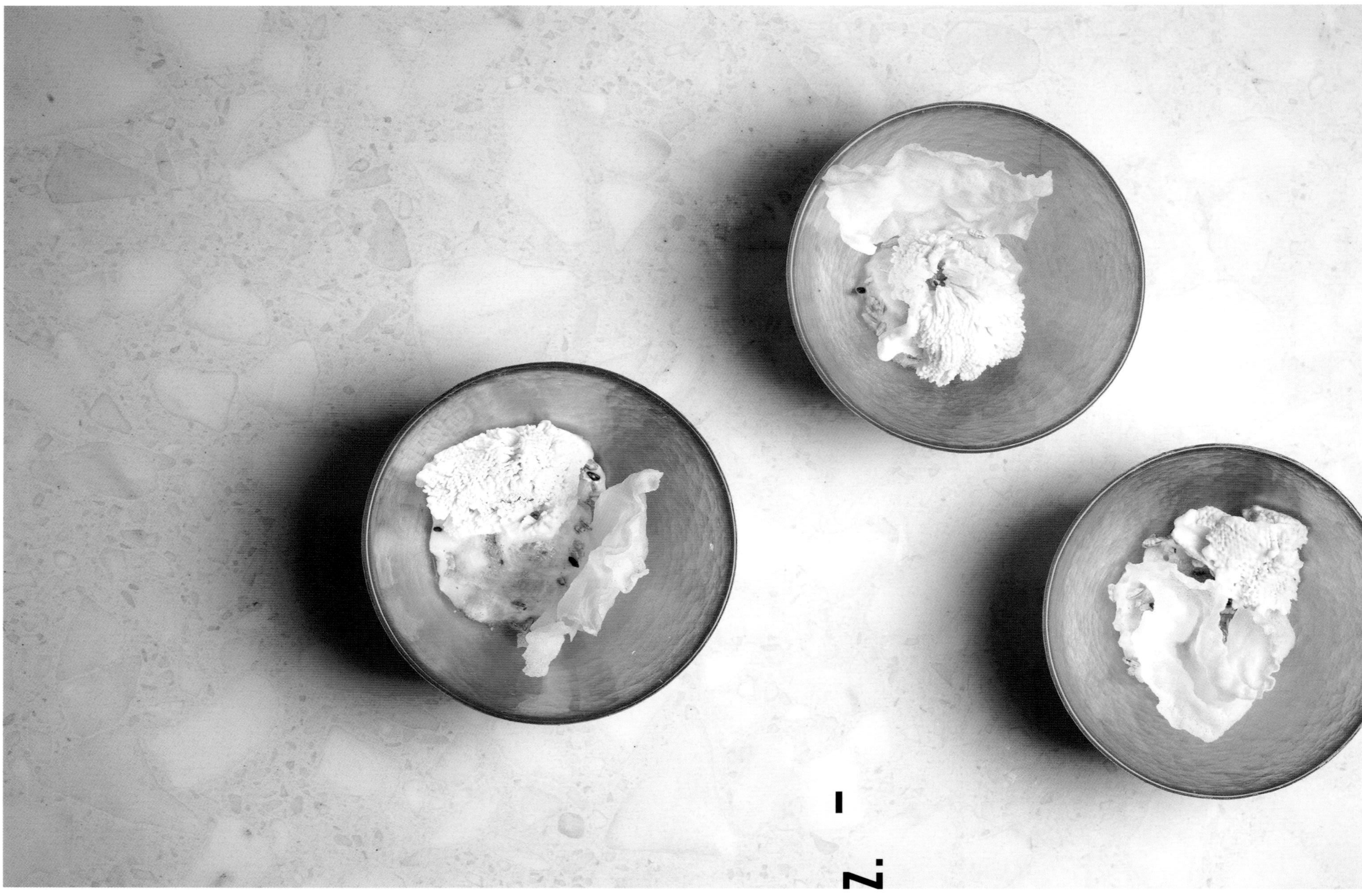

캐러멜 라이스 칩
CHIPS DE RIZ CARAMÉLISÉES

라이스 푸딩
카르나롤리 쌀(riz carnaroli) 250g
우유 500g
바닐라 빈 1줄기
휘핑한 생크림 50g
올리브오일 1테이블스푼

라이스 크리스피(백미, 흑미)
흑미 50g
카르나롤리 백미 50g
해바라기유 150g

쌀 아이스크림
우유 400g
액상 생크림 235g
바스마티 쌀(riz basmati) 300g
설탕 70g
글루코스 분말 50g
안정제 4g

라이스 크리스피 튀일
카르나롤리 백미 60g
달걀흰자 10g

181

플레이팅
비정제 황설탕

CHiPS DE RiZ CARAMÉLISÉES . A AM

싑스 드 리 카라멜리제_캐러멜 라이스 칩

15H

라이스 푸딩 *Riz au lait*
바닐라 빈을 길게 갈라 긁어 우유에 넣는다. 냄비에 올리브오일을 두른 뒤 쌀을 넣고 저어가며 투명해지도록 볶는다. 바닐라 향이 우러난 우유를 붓고 약한 불에서 약 18분간 익힌다. 휘핑한 생크림을 뜨거운 라이스푸딩에 붓고 잘 섞는다.

라이스 크리스피(백미, 흑미) *Riz noir et blanc soufflés*
기름을 조금 두른 냄비에 쌀을 넣고 통통하게 부풀어 바삭해질 때까지 나무 주걱으로 저어가며 볶는다.

쌀 아이스크림 *Glace au riz*
차가운 우유와 생크림에 바스마티 쌀을 넣고 향을 우린다. 체에 거른 뒤 냄비에 넣고 35~40°C까지 가열한다. 설탕, 글루코스 분말, 안정제를 혼합한 다음 우유에 넣고 끓을 때까지 가열한다. 덜어내어 식힌 뒤 아이스크림 메이커에 넣어 돌린다.

라이스 크리스피 튀일 *Tuile de riz soufflé*
오븐을 180°C로 예열한다. 쌀을 물에 넣고 8분간 익혀 건진다. 익힌 쌀과 달걀흰자를 섞은 뒤 L자 스패출러를 이용해 논스틱 오븐팬에 얇게 펼친다. 오븐에서 6~8분간 굽는다.

플레이팅 *Dressage*
볼 맨 밑에 라이스 푸딩을 1테이블스푼씩 담고 황설탕을 조금 뿌린 뒤 토치로 그슬려 캐러멜라이즈한다. 라이스 크리스피를 뿌리고 쌀 아이스크림을 얹는다. 라이스 크리스피 튀일을 하나씩 올린다.

CHiPS DE iZ HiPS DE RiZ CARAM
CHiPS E iZ CA A iSEE S RiZ AR
CHiPS DE RiZ CARAME iS S DE RiZ
CHiPS DE iZ CARAM Li E
CHiPS DE R ARA ELi EES HiP MELi EES
HiPS DE R C M S S iPS
HiPS DE RiZ i E
iP E iZ ELiS S
CHiPS DE RiZ AM i S
CHiP i ARAM
CHiP D C RAM
CHiPS CA A
iPS S
iZ A ELiSEE
S DE iZ CA A EL EE
CHi DE R RAMELiSE
CHiP A Li EE
CHiPS L EE
CHiPS E E i PS D A A EES
CHiPS DE RiZ ELi CHi D A iS
CHiP E ELi iP DE A LS
CHiPS DE ARA E iSEES HiPS DE Ri AR S ES
CHiPS E CAR MELiSEE iPS D Z
CHi D CARAMELiS CH D iZ
C E ARAMELi
D CARAMELi iPS 십스 드 리 카라멜리제
CARA i HiPS R Z E i
i S AMEL CHiPS DE i ARAM LiS ES
CHiP ELi CHiPS DE RiZ C RAME iSEE
CHiPS Z M i iP DE Ri CARAMEL SEE
CHiPS DE Ri HiPS DE RiZ CARAMELi S
CHiPS DE RiZ A iPS DE RiZ CARAMELiSEE
CHiPS DE RiZ CA S DE RiZ CARAMELiSEES
CHiPS DE RiZ CA E C iZ CARAMELiSEES

6인분 작업시간 : 1시간 30분 조리 : 1시간 30분

멜론 그래놀라
MELON GRANOLA

멜론 젤
멜론 1개
물 60g
설탕 110g
펙틴(pectine NH) 5g

레몬, 버베나 페퍼콘 젤
체에 거른 신선 레몬즙 200g
물 60g
버베나 페퍼콘(poivre verveine, baies Mang Tang) 3g
설탕 13g
한천 가루(agar-agar) 5g

그래놀라
오트밀 플레이크 200g
메밀 알갱이 75g
블랙 퀴노아 30g
레드 퀴노아 30g
호박씨 25g
잣 15g
라벤더 꿀 65g
달걀흰자 30g
식용유 15g

말린 멜론 튀일
얇게 썬 주황색, 연두색 멜론 200g
설탕 시럽(보메 30도) 50g
(p.261 참조)

멜론 소르베
물 250g
설탕 125g
안정제(super neutrose) 7g
글루코스 분말 50g
멜론 2개

플레이팅
주황색 멜론 1개
연두색 멜론 1개

MELON GRANOLA

15H

믈롱 그라놀라_멜론 그래놀라

멜론 젤 *Gel melon*
믹싱볼에 재료를 모두 넣고 블렌더로 간다. 냄비에 붓고 끓을 때까지 가열한다.

레몬, 버베나 페퍼콘 젤 *Gel citron-poivre verveine*
냄비에 레몬즙, 물, 버베나 페퍼콘을 넣고 데운 다음 설탕과 한천 가루를 섞어 넣어준다. 2분간 끓인다. 혼합물이 식으면 핸드블렌더로 간 다음 짤주머니에 채워 넣는다.

그래놀라 *Granola*
오븐을 160°C로 예열한다. 재료를 모두 혼합한 다음 베이킹 팬 위에 흩어 놓고 오븐에서 20분간 굽는다.

말린 멜론 튀일 *Tuile de melon séchée*
p.261의 레시피에 따라 보메 30도 시럽을 만든다. 오븐을 60°C로 예열한다. 멜론 과육을 얇게 저민 다음 붓으로 시럽을 한 켜 발라준다. 베이킹팬 위에 한 켜로 배치한 다음 오븐에서 1시간 30분간 건조시킨다.

멜론 소르베 *Sorbet melon*
용기에 물, 설탕, 안정제, 글루코스 분말을 넣고 핸드블렌더로 갈아 혼합한다. 멜론 과육을 블렌더로 갈고 체에 내려 섞은 뒤 아이스크림 메이커에 넣어 돌린다.

플레이팅 *Dressage*
볼에 멜론 젤과 레몬, 버베나 페페콘 젤을 한 점씩 짜 놓는다. 그 위에 그래놀라를 뿌리고 얇게 저민 두 가지 멜론을 놓는다. 말린 멜론 튀일을 얹은 다음 멜론 소르베를 쉼표 모양으로 첨가한다.

SUCETTES

6인분

작업시간 : 1시간

조리 : 10분

휴지 : 24시간

딸기 볼
SUCETTES FRAISES

딸기 소르베
딸기 1kg
전화당(트리몰린) 50g
설탕 25g
안정제(super neutrose) 10g

딸기 마멀레이드
잘 익은 딸기 250g
(딸기를 절대로 냉장고에 넣지 않는다)
설탕 13g
글루코스 분말 13g
펙틴(pectine NH) 1g
주석산 1g

플레이팅
생 딸기 500g
마라 데 부아(Mara des bois) 야생딸기 125g
바질 새순 잎
올리브오일

S F

FRAISES

15H

쉬세트 프레즈_딸기 볼

딸기 소르베 *Sorbet fraise*
하루 전날, 오븐을 90°C로 예열한다. 재료를 모두 밀폐용 병에 넣는다. 물이 약하게 끓고 있는 냄비에 병을 넣고 오븐에서 1시간 동안 익힌다. 냉장고에 넣어 24시간 휴지시킨다. 핸드블렌더로 간 다음 아이스크림 메이커에 넣어 돌린다. 차가운 용기에 덜어낸 뒤 냉동실에 12~24시간 보관한다.

딸기 마멀레이드 *Marmelade de fraise*
믹싱볼에 재료를 모두 넣고 핸드블렌더로 갈아 혼합한다. 냄비에 옮긴 다음 105°C가 될 때까지 끓인다.

플레이팅 *Dressage*
볼 바닥에 딸기 마멀레이드를 담는다. 생 딸기의 살을 파내고 그 자리에 소르베를 채운 뒤 볼에 넣는다. 바질 새순 잎, 야생딸기, 올리브오일을 첨가한다.

6인분 작업시간 : 1시간 조리 : 10분 휴지 : 24시간

허니 코랄
CORAIL MIEL

생강 무스
염소젖 요거트 225g
생강즙 50g
액상 생크림 250g
달걀흰자 60g
설탕 40g
프로마주 블랑 (fromage blanc) 200g
꿀 (miel Béton®)

3색 퀴노아 크리스피
블랙 퀴노아 50g
레드 퀴노아 50g
화이트 퀴노아 50g
해바라기유

생강 소르베
물 200g
생강즙 250g
설탕 60g
생강 30g
우유 100g

퀴노아 튀일
달걀 2개
달걀흰자 70g
파넬라 설탕 140g
블랙 퀴노아 30g
레드 퀴노아 30g
화이트 퀴노아 30g

플레이팅
꿀 (miel Béton®)

CORAIL MIEL
코라이 미엘_허니 코랄

15H

생강 무스 *Mousse gingembre*
하루 전날, 요거트와 생강즙을 혼합한다. 생크림을 너무 단단하지 않게 휘핑한다. 달걀흰자에 설탕을 넣고 거품을 올려 머랭을 만든다. 이 셋을 모두 합해 실리콘 주걱으로 살살 섞는다. 여기에 프로마주 블랑을 넣어준다. 혼합물을 체에 놓고 그 위에 짤주머니에 넣은 꿀을 불규칙적으로 짜 올린다. 천연 커드와 같은 혼합물을 얻게 된다. 냉장고에 넣어 24시간 휴지시킨다.

3색 퀴노아 크리스피 *Quinoa noir-rouge-blanc soufflés*
냄비에 세 가지 퀴노아와 약간의 기름을 넣고 바삭하고 노릇하게 부풀도록 볶는다.

생강 소르베 *Sorbet gingembre*
냄비에 재료를 모두 넣고 끓인 다음 핸드블렌더로 갈아 혼합한다. 체에 걸러 내린 뒤 아이스크림 메이커에 넣고 돌린다. 생강 소르베를 차가운 용기에 덜어내 냉장고에 보관한다.

퀴노아 튀일 *Tuile Quinoa*
오븐을 180°C로 예열한다. 볼에 재료를 모두 넣고 섞은 뒤 논스틱 베이킹 팬에 혼합물을 펼쳐 놓는다. 냄비에 바삭하게 볶아둔 3색 퀴노아 크리스피를 고루 뿌린다(크리스피는 플레이팅용으로 조금 남겨둔다). 오븐에 8~10분간 굽는다.

플레이팅 *Dressage*
따뜻한 꿀을 볼 바닥에 한 바퀴 짜 넣은 다음 3색 퀴노아 크리스피를 고루 뿌린다. 생강 무스를 넉넉히 한 스푼 담는다. 생강 소르베 1테이블스푼을 체에 놓고 주걱으로 부순다. 체를 뒤집어 산호 모양이 된 소르베를 볼에 담는다. 퀴노아 튀일을 조각으로 잘라 한 개씩 올린다.

6인분

작업시간 : 1시간

S

솔티 카카오
CACAO SEL

트러플 초콜릿 가나슈
우유 100g
액상 생크림 150g
글루코스 시럽(물엿) 15g
만자리(Manjari) 다크 초콜릿 70g
카라이브(Caraïbes) 다크 초콜릿 135g
정제버터 50g

밤 젤
우유 170g
달걀노른자 30g
당절임 밤 70g
밤 페이스트 130g
잔탄검 4g

카카오닙스 프랄리네
헤이즐넛 300g
설탕 160g
물 60g
소금(플뢰르 드 셀) 6g
카카오닙스 130g
포도씨유 40g

초콜릿 소르베
우유 700g
액상 생크림 160g
설탕 160g
파넬라 설탕 35g
우유 분말 25g
코코아가루 15g
안정제 5g
페루 초콜릿 매스 140g

CACAO SEL

카카오 셀_솔티 카카오

15H

트러플 초콜릿 가나슈 *Ganache truffe*
냄비에 우유와 생크림, 글루코스 시럽을 넣고 끓인 뒤 초콜릿에 붓고 잘 저어 유화시킨다. 공기가 주입되지 않도록 주의하며 핸드블렌더로 갈아 혼합한다. 이어서 정제버터를 넣어 섞는다. 상온에 보관한다.

밤 젤 *Gel marron*
p.259의 레시피를 참조하여 크렘 앙글레즈를 만든다(설탕은 넣지 않는다). 찬물에 헹군 당절임 밤과 밤 페이스트를 볼에 넣고 뜨거운 크렘 앙글레즈를 붓는다. 핸드블렌더로 갈아 혼합한다. 잔탄검을 첨가한 뒤 다시 갈아 혼합한다.

카카오닙스 프랄리네 *Praliné grué*
오븐을 160°C로 예열한다. 베이킹 팬에 헤이즐넛을 한 켜로 펼쳐 놓은 뒤 오븐에 넣어 15분간 로스팅한다. 냄비에 설탕과 물을 넣고 180°C까지 끓여 캐러멜을 만든다. 캐러멜 시럽을 헤이즐넛에 붓고 식힌다. 작게 깬 다음 푸드 프로세서에 넣고 10분간 분쇄한다. 오븐에 로스팅한 카카오닙스를 푸드 프로세서에 넣고 다시 3분간 같이 갈아준다. 마지막으로 기름과 소금을 넣고 2분간 더 갈아 마무리한다.

초콜릿 소르베 *Sorbet chocolat*
냄비에 우유와 생크림을 넣고 가열해 45°C가 되면 설탕, 우유 분말, 코코아 가루, 안정제를 넣고 끓을 때까지 가열한다. 이 혼합물을 페루 카카오 매스 위에 붓는다. 핸드블렌더로 갈아 혼합한다. 아이스크림 메이커에 넣고 돌린다.

플레이팅 *Dressage*
볼에 트러플 초콜릿 가나슈를 쉼표 모양으로 깔아준 다음 그 위에 밤 젤을 같은 모양으로 짜 얹는다. 그 옆에 카카오닙스 프랄리네를 깔고 초콜릿 소르베를 돌돌 말아 얹는다.

6인분

작업시간 : 1시간

조리 : 2시간

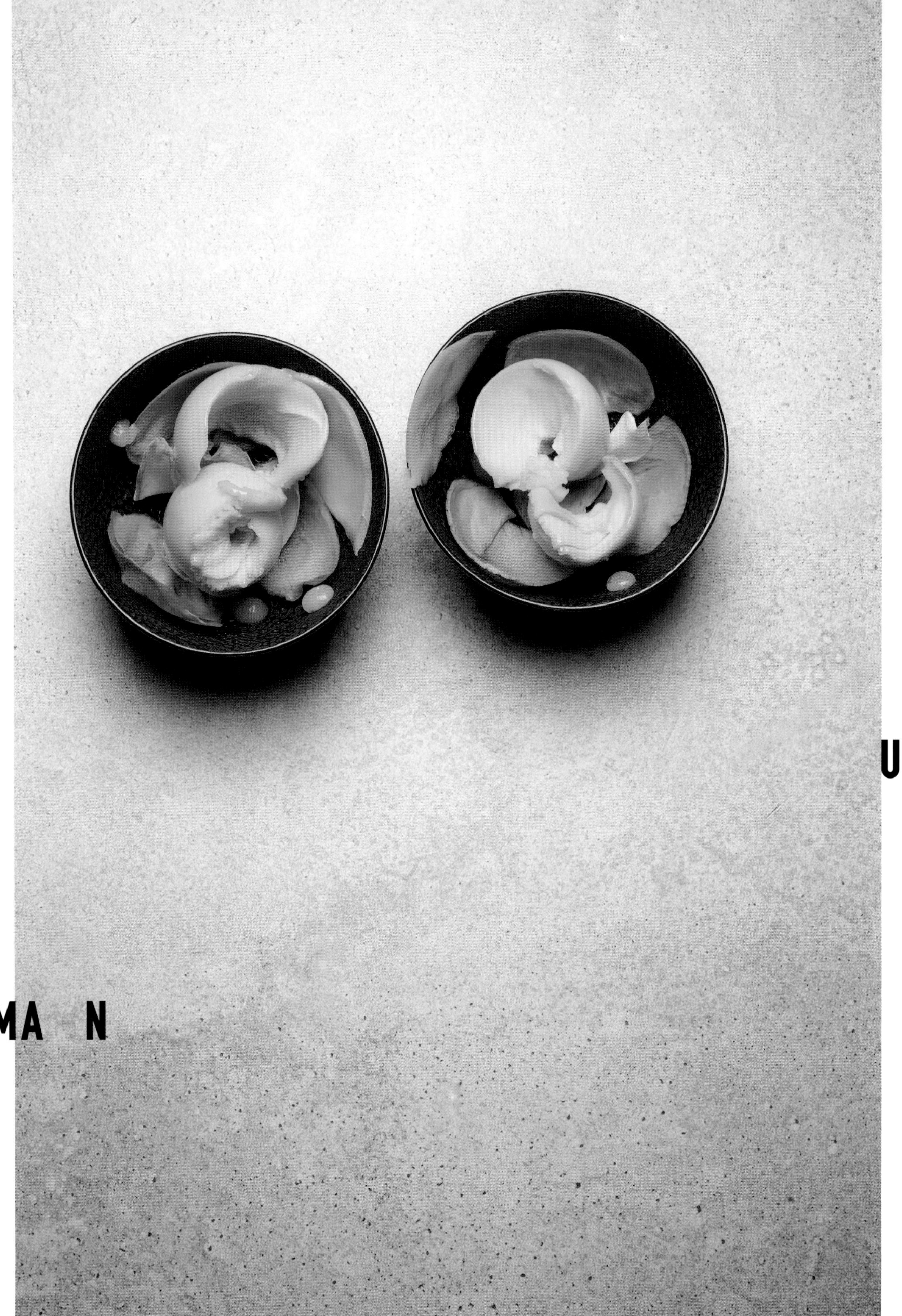

MA N

레몬 망고 아이스 볼
FEUILLES DE MANGUE ACIDULÉES

망고 칩
망고 1개
태국 망고 1개

주니퍼베리 레몬 젤
체에 거른 신선 레몬즙 200g
물 60g
설탕 15g
한천 가루(agar-agar) 5g
주니퍼베리 3g

망고 소르베
생 망고 500g
설탕 시럽(보메 30도) 200g
설탕 75g
레몬즙 40g

플레이팅
노랑 망고 2개
태국 망고 2개

FEUILLES DE MANGUE ACIDULÉES

15H

푀이유 드 망그 아시뒬레 레몬 망고 아이스 볼

망고 칩 *Chips de mangues*
오븐을 60°C로 예열한다. 망고 과육을 만돌린 슬라이서로 얇게 저민 뒤 베이킹 팬에 펼쳐 놓고 오븐에서 2시간 건조시킨다.

주니퍼베리 레몬 젤 *Gel citron*
냄비에 레몬즙과 물, 주니퍼베리를 넣고 가열한다. 설탕과 한천 가루를 섞어 냄비에 넣어준 다음 2분간 끓인다. 식힌 뒤 블렌더로 갈아준다.

망고 소르베 *Sorbet mangue*
p.261의 레시피에 따라 보메 30도 설탕 시럽을 만든다. 시럽에 망고와 설탕, 레몬즙을 넣고 핸드블렌더로 갈아 혼합한다. 아이스크림 메이커에 넣고 돌린다. 완성된 망고 소르베를 차가운 용기에 덜어낸 다음 냉동실에 12~24시간 보관한다.

플레이팅 *Dressage*
망고 과육을 가늘게 채 썬다. 볼에 망고 칩을 몇 장 깔고 생 망고 채를 넣는다. 주니퍼베리 레몬 젤을 점점이 몇 군데 짜 놓은 다음 망고 소르베를 돌돌 말아 얹는다.

S OU F

6인분

작업시간 : 1시간

조리 : 1시간

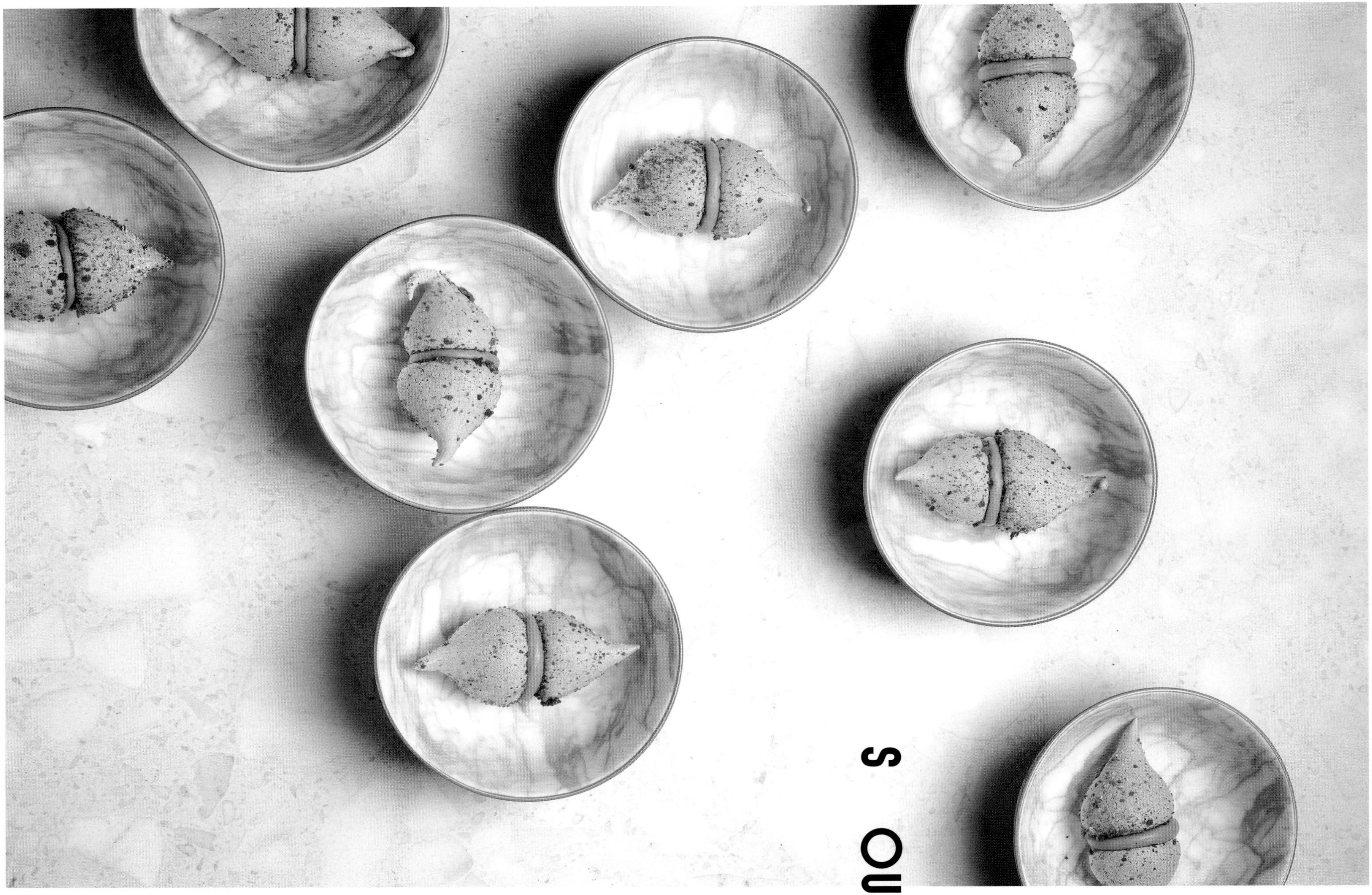

머랭 수플레
SOUFFLÉS MERINGUE

머랭 수플레
달걀흰자 100g
설탕 100g
슈거파우더 100g
코코아가루 5g

밤 아이스크림
우유 350g
설탕 35g
안정제(super neutrose) 2g
달걀노른자 60g
밤 페이스트 120g
잘게 썬 밤 조각 150g

헤이즐넛 페이스트
헤이즐넛 200g
슈거파우더 15g
소금(플뢰르 드 셀) 1자밤

밤 젤
우유 350g
달걀노른자 1개분
밤 페이스트 30g
당절임 밤 3개
잔탄검 1g

195

SOUFFLÉS MERINGUE

S

15H

수플레 므랭그_ 머랭 수플레

머랭 수플레 *Meringue soufflées*
전동 스탠드 믹서 볼에 달걀흰자를 넣고 거품기를 돌린다. 어느 정도 거품을 올린 뒤 설탕을 넣고 단단한 머랭을 만든다. 슈거파우더를 첨가한다. 오븐을 100°C로 예열한다.
깍지(10호)를 끼운 짤주머니에 머랭을 채운 다음 실리콘 패드 위에 뾰족한 모양으로 짜 놓는다. 물을 묻힌 가위로 머랭 위 끝부분을 잘라준다. 코코아가루를 살짝 뿌린 뒤 오븐에서 10분간 굽는다. 오븐 온도를 60°C로 내린 다음 1시간 동안 건조시킨다. 오븐에서 꺼낸 머랭의 아랫부분을 우묵하게 파 놓는다.

밤 아이스크림 *Glace marron*
크렘 앙글레즈를 만든다. 우선 냄비에 우유를 넣고 뜨겁게 가열한 다음 안정제와 설탕 분량의 반을 넣는다. 볼에 달걀노른자와 나머지 설탕을 넣고 색이 뽀얗게 변할 때까지 거품기로 저어 섞는다. 여기에 끓는 우유를 붓고 섞은 뒤 다시 냄비에 옮겨 80°C까지 가열한다. 잘게 썬 밤과 밤 페이스트를 넣고 블렌더로 갈아 혼합한다.

헤이즐넛 페이스트 *Pâte de noisette*
재료를 모두 푸드 프로세서에 넣고 갈아 매끈한 페이스트를 만든다.

밤 젤 *Gel marron*
당절임 밤을 찬물에 헹군다. p.259의 레시피를 참조하여 우유와 달걀로 크렘 앙글레즈를 만든다(설탕은 넣지 않는다). 크렘 앙글레즈를 밤과 밤 페이스트 위에 붓고 잘 섞는다. 잔탄검을 첨가한 다음 핸드 블렌더로 갈아 혼합한다.

플레이팅 *Dressage*
머랭의 우묵한 부분에 밤 아이스크림과 소량의 헤이즐넛 페이스트를 채워 넣는다. 밤 젤로 미무리 한 뒤 머랭을 바닥이 마주보도록 두 개씩 붙인다.

SOUFFL U SOUF E GUE
L M E SOUF E GUE
F ES UE SOUF GUE
S M UE SOUF G E
수플레 므랭그 UE S F E E I
SO L ES MERi GUE
SOUFFL F ES ME iNGUE
S U L S F S iNGUE
SOUFF M F E ERiN UE
SOUFF ME GUE F MERiN E
SO S M iN U FFLES MERiNG E
SOUFF RiNGU UFFLES M U
S UF S MER GU SOUFFLES MERiN
SOUFFLES MERiNG E SOUFF S MERiNG
SOUFFLES M U FL Ri U
SOUFFLES M I GUE
SOUFFLES ERiNGUE
SOUFFL S ERiNGUE
SOUFF F ES ME NGUE
F E FF ES MERiN UE
UFFL F MRiN U
SOUF ES S FL S RiN E
SO FLE S UF L S Ri E
SOUF E OUFFL iNGUE
SOUFFLES SO F S RiNGUE

6인분

작업시간 : 1시간

PAM

P

멕시칸 마리골드 자몽
PAMPLEMOUSSE TAGÈTE

멕시칸 마리골드 소르베
물 780g
레몬즙 150g
오렌지 즙 120g
설탕 240g
안정제(super neutrose) 6g
글루코스 분말 44g
멕시칸 마리골드(멕시칸 타라곤) 20g

레몬 젤
체에 거른 신선 레몬즙 200g
물 60g
설탕 13g
한천 가루(agar-agar) 5g

플레이팅
자몽 3개
알로에 베라 150g
멕시칸 마리골드 새순 5g
올리브오일 40g

PAMPLEMOUSSE

15H

T TAGÈTE

팡플르무스 타제트_멕시칸 마리골드 자몽

마리골드 소르베 *Sorbet tagète*
냄비에 물, 레몬즙, 오렌지 즙을 넣고 가열한다. 이어서 설탕, 안정제, 글루코스 분말을 넣고 잘 저은 뒤 끓인다. 식힌다. 멕시칸 마리골드 잎을 넣고 핸드블렌더로 갈아 혼합한다. 아이스크림 메이커에 넣고 돌려 소르베를 만든다.

레몬 젤 *Gel citron*
냄비에 레몬즙과 물을 넣고 가열한다. 설탕과 한천 가루를 섞어 넣어준 다음 2분간 끓인다. 식힌 뒤 핸드블렌더로 갈아 혼합한다.

플레이팅 *Dressage*
볼에 속껍질까지 벗긴 자몽 과육 세그먼트를 넣고 작은 큐브 모양으로 썬 알로에 베라를 넣어준다. 레몬 젤로 군데군데 점을 찍는다. 멕시칸 마리골드 소르베를 돌돌 말아 가운데 놓고 마리골드 새순을 올린다. 올리브오일을 살짝 뿌려 서빙한다.

6인분

작업시간 : 45분

코코넛, 시트러스 초피 후추
COCO POIVRE DES CÎMES

코코넛 에스푸마
코코넛 퓌레 570g
액상 생크림 150g
말리부(Malibu®) 럼 30g
휘핑 사이펀 가스캡슐 2개

시트러스향 초피 후추 레몬 젤
체에 거른 신선 레몬즙 200g
물 60g
시트러스향 초피 후추(poivre des Cîmes) 3g
설탕 13g
한천 가루(agar-agar) 5g

코코넛 소르베
코코넛 워터 375g
설탕 225g
안정제(super neutrose) 6g
글루코스 분말 6g
코코넛 밀크 750g

플레이팅
신선 코코넛(반으로 자른다) 3개

COCO POIVRE DES CÎMES

15H

코코 푸아브르 데 심_코코넛, 시트러스 초피 후추

코코넛 에스푸마 *Espuma coco*
용기에 재료를 모두 넣고 블렌더로 간다. 가스캡슐 2개를 끼운 휘핑 사이펀에 채워 넣는다.

시트러스향 초피 후추 레몬 젤 *Gel citron au poivre des Cîmes*
냄비에 레몬즙, 물, 시트러스향 초피 후추를 넣고 가열한다. 설탕과 한천 가루를 섞어 넣은 뒤 2분간 끓인다. 식힌 다음 블렌더로 간다.

코코넛 소르베 *Sorbet coco*
냄비에 코코넛 워터를 넣고 가열한다. 이어서 설탕, 안정제, 글루코스 분말을 넣고 잘 저은 뒤 끓을 때까지 가열한다. 식힌다. 코코넛 밀크를 첨가한 다음 블렌더로 갈아 혼합한다. 아이스크림 메이커에 넣고 돌려 소르베를 만든다. 차가운 용기에 덜어낸 다음 냉동실에 12~24시간 보관한다.

플레이팅 *Dressage*
볼에 코코넛 에스푸마를 사이펀으로 크게 짜 넣는다. 중앙에 시트러스향 초피 후추 레몬 젤을 조금 채워 넣는다. 생 코코넛 조각 2개를 배치한 뒤 코코넛 소르베를 돌돌 말아 올린다.
반으로 자른 코코넛 껍데기에 플레이팅하면 더욱 좋다.

CERISE RIZ NOIR CERI CERISE RIZ NOIR
CERISE RIZ NOIR CERI C E RIZ NOIR
CERISE RIZ NOI ERISE RIZ NOIR
CERISE RIZ N E I E RIZ NOIR
CERISE CE Z N IR
CERISE RIZ I CE I E N CE Z OIR
CERISE RIZ NOI ERIS OIR ER Z IR
E RIZ IR CERISE N IR ERIS I
E I E IZ NOIR CE RI NOIR CERISE R OI
CERISE IZ NOIR ERISE I OI CE OI
CERISE IZ NOIR CE ISE IZ I
CERI IZ NOIR C RIS ISE IZ NOIR
C ISE RIZ NOIR CE ISE RIZ E RIZ NOIR
CERISE RIZ NOIR CERI E R I E RIZ NOIR
CERISE RIZ NOIR ERISE RI SE RIZ NOIR
CERISE RIZ N IR ERISE RIZ I IZ NOIR
CERISE RI E RI R CERISE IR
CERI RI O E ISE I CERISE IZ N
RIZ N IR CERIS I IR ERIS RIZ
RI N IR CE E OIR CE SE RIZ NOI
RIZ IR 스리즈 리 누아르 I CERISE IZ N IR
CE I IR
CERIS E ISE RI NOI OIR
CE I ERISE RIZ N I R
C RIS ERISE RIZ NOI R
CERI ERISE RIZ N R O
C R SE Z R CERI RIZ N OI
CERIS R ERISE I N R IR
CERISE RI IR IS RI IR IR
CE I I OIR CERISE OI R
C ISE N IR IZ NOI IR
C E NOIR RIZ NOIR R

6인분 작업시간 : 1시간 조리 : 1시간

흑미를 곁들인 체리
CERISE RIZ NOIR

흑미 페이스트
흑미(riz noir venere) 100g
그리요트 체리 즙 25g
물 1리터
소금

흑미 크리스피
흑미(riz noir venere) 50g
해바라기유 150g

체리 소르베
물 150g
설탕 75g
글루코스 분말 25g
안정제(super neutrose) 4g
레몬즙 50g
생 체리 375g
체리 퓌레(Boiron®) 125g

플레이팅
생 체리 250g
아마란스 마이크로 새싹

CERISE R

R RIZ NOIR

스리즈 리 누아르_흑미를 곁들인 체리

15H

흑미 페이스트 *Pâte de riz noir*
오븐을 180°C로 예열한다. 오븐 용기에 흑미를 넣고 소금을 넣은 물 1리터를 붓는다. 오븐에 넣어 물이 모두 스며들고 쌀이 완전히 익을 때까지 1시간 동안 익힌다. 블렌더로 간 다음 그리요트 체리 즙을 넣어준다. 매끈하게 흐르는 농도가 되도록 다시 갈아 혼합한다.

흑미 크리스피 *Riz noir soufflé*
냄비에 기름을 조금 넣은 뒤 흑미 50g을 넣고 바삭하고 통통하게 부풀 때까지 3~4분간 볶는다.

체리 소르베 *Sorbet cerise*
냄비에 물을 넣고 가열한 뒤 설탕, 글루코스 분말, 안정제, 레몬즙을 넣어 섞는다. 이 시럽을 생 체리와 체리 퓌레에 붓고 블렌더로 간다. 아이스크림 메이커에 돌려 소르베를 만든다.

플레이팅 *Dressage*
볼에 흑미 페이스트 1테이블스푼을 넣고 흑미 크리스피를 조금 뿌린다. 팬에 볶은 생 체리를 몇 개 놓고 체리 소르베를 포크로 떠 얹어준다. 아마란스 새싹을 몇 가닥 올린다.

6인분 작업시간 : 1시간 조리 : 1분

바닐라 부이용
BOUILLON VANILLE

바닐라 프랄리네
바닐라 빈 10g
속껍질까지 벗긴 흰 아몬드 160g
설탕 250g
물 120g

크리미 캐러멜
액상 생크림 160g
우유 42g
글루코스 시럽(1) 42g
바닐라 빈 1줄기
소금(플뢰르 드 셀) 2g
설탕 75g
글루코스 시럽(2) 90g
버터 60g
사라왁(Sarawak) 검은 후추 2g

바닐라 아이스크림
우유 450g
생크림 170g
우유 분말 37g
타히티 바닐라 빈 2줄기
달걀노른자 60g
설탕(1) 10g
설탕(2) 10g
안정제(super neutrose) 10g

블랑망제
달걀흰자 75g
설탕 75g
우유 200g

BOUiLLON VANiLLE

15H

바닐라 프랄리네 *Praliné vanille*
p.260의 레시피를 참조하여 바닐라 프랄리네를 만든다.

크리미 캐러멜 *Caramel onctueux*
냄비에 생크림, 우유, 글루코스 시럽(1), 바닐라, 소금을 넣고 가열한다. 다른 냄비에 설탕과 글루코스 시럽(2)을 넣고 185°C까지 끓여 캐러멜을 만든 다음 뜨거운 크림 혼합물을 조심스럽게 넣고 잘 저어 섞는다. 이것을 다시 105°C까지 끓인 뒤 체에 거른다. 캐러멜의 온도가 70°C까지 떨어지면 버터를 넣고 핸드블렌더로 갈아 혼합한다. 후추를 그라인더로 갈아 넣는다.

바닐라 아이스크림 *Glace vanille*
냄비에 우유, 생크림, 우유 분말, 길게 갈라 긁은 바닐라 빈과 줄기를 넣고 뜨겁게 가열한다. 달걀노른자와 설탕(1)을 거품기로 저어 섞은 뒤 뜨거운 우유 혼합물을 부어 섞는다. 여기에 설탕(2)과 안정제를 넣어준다. 모두 다시 불에 올려 가열한 뒤 끓기 시작하면 바로 불에서 내려 식힌다. 블렌더로 간 다음 체에 거른다. 아이스크림 메이커에 넣어 돌린다. 완성된 바닐라 아이스크림을 차가운 용기에 덜어낸 다음 냉동실에 12~24시간 보관한다.

블랑망제 *Blanc-manger*
달걀흰자에 설탕을 첨가하며 거품기로 휘저어 머랭을 만든다. 냄비에 우유를 끓인 뒤 핸드블렌더로 갈아 우유 거품을 만든다.

플레이팅 *Dressage*
볼 바닥에 바닐라 프랄리네와 크리미 캐러멜을 쉼표 모양으로 한 번씩 깔아준다. 블랑망제 1테이블스푼을 캐러멜 위에 으깨듯이 얹는다. 바닐라 아이스크림을 크넬 모양으로 옆에 놓는다. 마지막에 블랑망제 2~3테이블스푼을 올린다.

부이용 바니유_바닐라 부이용

6인분 작업시간 : 1시간 조리 : 30분

R HU B

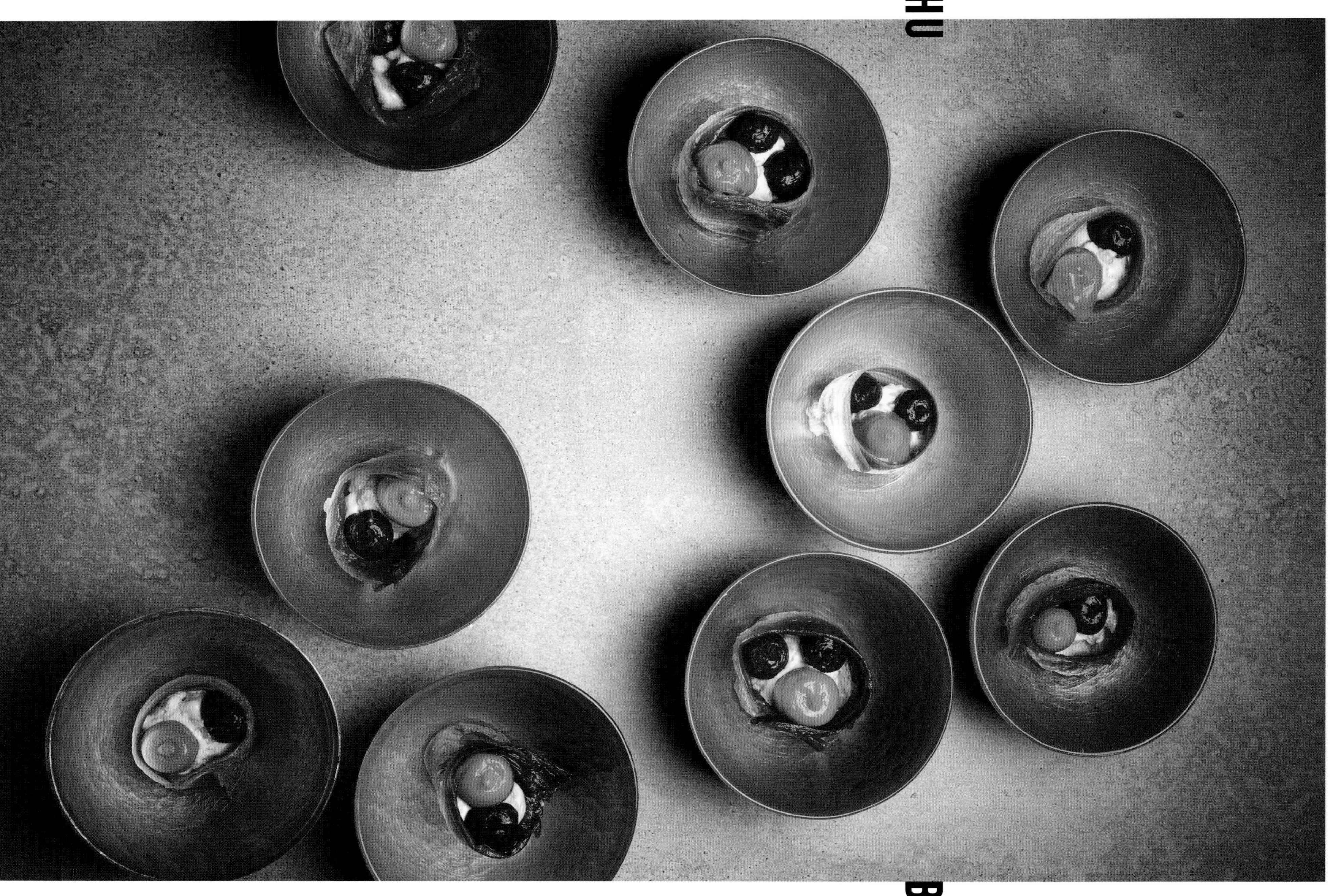

루바브
RHUBARBES COLORÉES

설탕 크러스트 루바브
우박설탕 800g
달걀흰자 40g
껍질을 벗긴 루바브 300g

루바브 콩포트
설탕 크러스트를 입혀 익힌 루바브 300g

졸인 루바브 콩포트
작게 자른 루바브 400g
물 300g
설탕 50g

플레이팅
비멸균 더블크림(Borniambuc®) 200g

RHUBARBES COLORÉES
뤼바르브 콜로레 _루바브

15H

설탕 크러스트 루바브 *Rhubarbe en croûte de sucre*
오븐을 180°C로 예열한다. 볼에 우박설탕과 달걀흰자를 넣어 섞는다. 유산지를 깐 바트에 설탕과 달걀흰자 혼합물의 반을 깐 다음 중간에 루바브를 놓는다. 나머지 설탕, 달걀흰자 혼합물로 덮어준 다음 오븐에 넣어 30분간 굽는다.

루바브 콩포트 *Compotée de rhubarbe*
설탕 크러스트를 입혀 익힌 루바브를 핸드블렌더로 매끈하게 갈아준다. 익힌 루바브 한 줄기는 플레이팅용으로 남겨둔다.

졸인 루바브 콩포트 *Compotée de rhubarbe réduite*
루바브의 껍질을 벗긴 뒤 얇게 송송 썬다. 냄비에 루바브와 물, 설탕을 넣고 약한 불로 졸여 콩포트를 만든다. 체에 걸러 루바브를 건지고 익힌 즙은 다시 냄비에 넣어 시럽 농도가 될 때까지 졸인다. 건져둔 루바브를 넣어준다.

플레이팅 *Dressage*
설탕 크러스트에 익힌 루바브를 띠 모양으로 얇게 저민 뒤 동그랗게 말아 볼 중앙에 놓는다. 바닥에 더블크림을 깐 다음 두 종류의 루바브 콩포트를 얹어준다.

6인분 작업시간 : 1시간 조리 : 5분

라즈베리와 딜
FRAMBOISE ANETH

딜 페스토
딜 50g
아몬드 페이스트 13g
올리브오일 50g
꿀 10g
유자 7g
고운 소금 10g

라즈베리 페팽
라즈베리 식초 100g
설탕 170g
라즈베리 700g
글루코스 분말 70g
펙틴(pectine NH) 4g
주석산 4g

와플 튀일
우유 250g
브라운버터(beurre noisette) 200g
바닐라 빈 2줄기
밀가루(T55 중력분) 230g
소금 3g
달걀흰자 100g
슈거파우더 20g
정향 가루 5g

완성재료
생 라즈베리 500g

211

ANETH

FRAMBOISE

15H

프랑부아즈 아네트_라즈베리와 딜

딜 페스토 *Pesto aneth*
푸드 프로세서에 모든 재료를 넣고 얼음조각을 첨가한 뒤 매끈하게 갈아 혼합한다. 짤주머니에 채워 넣는다.

라즈베리 페팽 *Framboise pépins*
냄비에 라즈베리 식초와 설탕을 넣고 115°C까지 끓여 시럽을 만든 다음 라즈베리를 넣어준다. 과일에서 어느 정도 즙이 나오기 시작하고 따뜻한 온도로 식으면, 미리 섞어둔 글루코스 분말, 펙틴, 주석산을 넣어준다. 혼합물을 다시 104°C까지 끓인다. 재빨리 식힌다.

와플 튀일 *Tuiles de gaufrette*
냄비에 우유, 버터, 길게 갈라 긁은 바닐라를 넣고 40°C까지 가열한다. 소금과 섞어둔 밀가루 위에 따뜻한 혼합물을 3번에 나누어 붓고 잘 섞어 탄력있는 반죽을 만든다. 상온에 둔 달걀흰자의 거품을 올린다. 설탕을 넣고 단단하게 거품을 올린 다음 반죽에 넣고 살살 섞어준다.
오븐을 170°C로 예열한다. 반죽을 실리콘 패드 위에 얇게 펼쳐 놓고 톱니무늬 스크레퍼로 그어 줄무늬를 낸다. 오븐에서 5분간 굽는다. 꺼낸 다음 슈거파우더를 뿌려 글레이즈한다. 이어서 정향 가루를 뿌린다.

플레이팅 *Dressage*
생 라즈베리 안에 딜 페스토를 짤주머니로 짜 넣는다. 볼 바닥에 라즈베리 페팽을 담고 딜 페스토를 채운 라즈베리를 몇 개 놓는다. 크게 자른 와플 튀일을 한 개 얹어준다.

FRUiTS GiVRES S iV ES
FRUiTS GiVRE iV E
FRUiTS GiVRES F ES
FRUiTS GiVRE FR i
FRUiTS Gi ES FRU
FRUiTS G VRES FRU
FRUiT i RES RU
FRUiT i S F
FRUiT RE R i
FR S i
RES
i
iV T
FRUiT iV iT
FR S G RES UiTS
FR i S GiVRES S GiVR
FRUiTS iV E R iV ES
FRUiTS i ES FR i

FRUITS GIVRES

과일 소르베 디저트

FRUITS GIVRES

8인분 작업시간 : 30분 휴지 : 2~3시간 + 2시간

소르베를 채운 살구
ABRICOTS FRAIS

살구 소르베
물 250g
설탕 125g
안정제(super neutrose) 7g
글루코스 분말 50g
살구 퓌레 530g

플레이팅
살구 4개

ABRICOTS FRAIS

15H

아브리코 프레_ 소르베를 채운 살구

살구 소르베 *Sorbet abricot*
냄비에 물, 설탕, 안정제, 글루코스 분말을 넣고 끓인 다음 용기에 덜어 냉장고에 2~3시간 넣어둔다. 시럽이 아주 차가워지면 살구 과육 퓌레를 넣고 핸드블렌더로 갈아 혼합한다. 아이스크림 메이커에 넣고 돌려 소르베를 만든다.

플레이팅 *Dressage*
살구를 각각 반으로 자른 뒤 씨를 빼낸다. 스푼으로 살을 조금 파내어 움푹하게 공간을 만든다. 파낸 살은 따로 보관한다. 이렇게 준비한 반쪽짜리 살구를 냉동실에 2시간 넣어둔다. 파낸 살은 블렌더로 간다. 냉동실에서 꺼낸 살구 반쪽 바닥에 갈아둔 과육을 조금 넣어준다. 살구 소르베를 짤주머니(8호 원형 깍지)로 짜 위로 올라오도록 채워 넣는다.

8인분

작업시간 : 30분

조리 : 1분

휴지 : 2시간 + 2~3시간

소르베를 채운 파인애플
ANANAS

파인애플 셸
통 파인애플 8개

파인애플 라임 소르베
파인애플 즙 450g
파인애플 퓌레(Boiron®) 450g
라임즙 80g
물 210g
설탕 200g
글루코스 분말 100g
안정제(super neutrose) 6g
라임 제스트 2개분

AN S

ANANAS

15H

아나나스_소르베를 채운 파인애플

파인애플 셸 *Coques ananas*
파인애플 높이의 3/4 되는 지점을 뚜껑처럼 가로로 자른다. 스푼으로 파인애플 안의 과육을 어느 정도 파낸 다음 껍데기를 냉동실에 2시간 넣어둔다. 파낸 과육은 따로 보관한다.

파인애플 라임 소르베 *Sorbet ananas-citron vert*
파인애플을 주서기에 착즙한 다음 체에 거른다. 냄비에 이 파인애플 즙과 파인애플 퓌레, 라임즙, 물을 넣고 40°C까지 가열한다. 미리 섞어둔 설탕, 글루코스 분말, 안정제를 넣고 끓을 때까지 가열한다. 유리볼에 덜어낸 다음 냉장고에 2~3시간 넣어 숙성시킨다. 차가워진 혼합물에 라임 제스트와 껍데기에서 파낸 파인애플 과육을 넣고 핸드블렌더로 갈아 혼합한다. 아이스크림 메이커에 넣고 10~15분 정도 돌려 소르베를 만든다.

플레이팅 *Dressage*
생토노레용 깍지를 끼운 짤주머니에 소르베를 채운 뒤 파인애플 셸 안에 짜 넣는다. 잘라두었던 뚜껑을 덮은 뒤 바로 서빙한다.

8인분 작업시간 : 30분 휴지 : 2시간 + 2~3시간

소르베를 올린 바나나
BANANES

바나나 셸
바나나(bananes fressinettes) 8개

바나나 소르베
물 280g
전화당(트리몰린) 40g
설탕 130g
안정제 3g
생 바나나 과육 330g
바나나(bananes fressinettes) 160g
바나나 퓌레(Ponthier®) 200g

15H

BANANES N

바난_소르베를 올린 바나나

바나나 셸 *Coques banane*
바나나의 우묵하게 굽은 면의 안쪽을 껍질째 길게 자른다. 줄기 꼭지는 남겨둔다. 냉동실에 2시간 넣어둔다.

바나나 소르베 *Sorbet banane*
냄비에 물, 전화당을 넣고 가열한다. 설탕과 안정제를 섞어 첨가한 다음 1분간 끓인다. 바나나의 껍질을 벗긴 뒤 굵직하게 썰어 밑이 둥근 볼에 담는다. 냄비 안의 뜨거운 시럽을 바나나에 붓고 이어서 바나나 퓌레를 넣어준다. 냉장고에 2~3시간 동안 넣어둔다. 핸드블렌더로 갈아 혼합한 뒤 아이스크림 메이커에 넣고 10~15분 정도 돌려 소르베를 만든다.

플레이팅 *Dressage*
생토노레용 깍지를 끼운 짤주머니에 소르베를 채운 뒤 잘라둔 바나나 위에 길게 짜 얹는다.

8인분

작업시간 : 30분

휴지 : 2시간 + 2시간

Ri S S

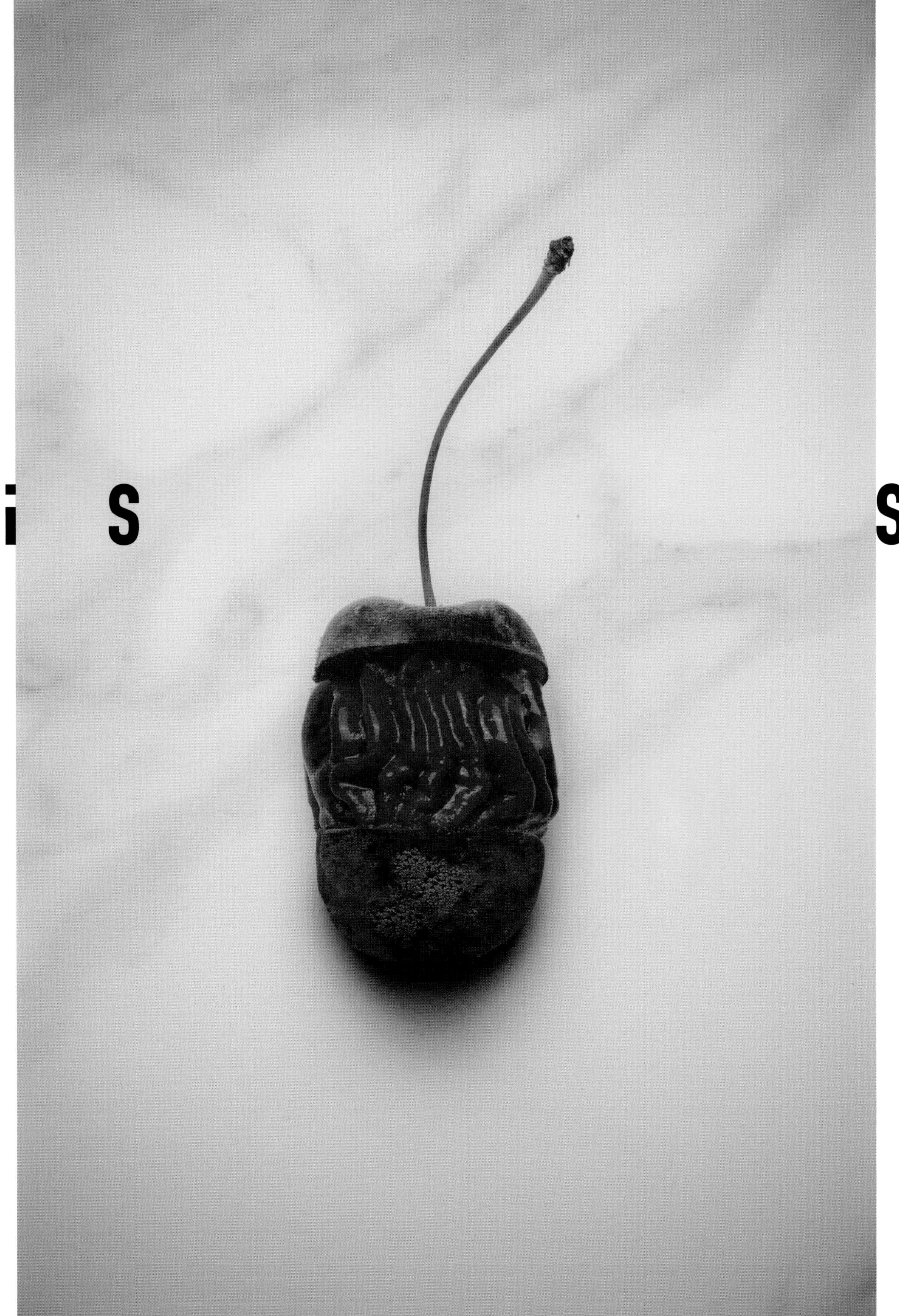

소르베를 채운 체리
CERISES

체리 셸
체리(cerises Burlat) 500g

체리 소르베
물 150g
설탕 75g
글루코스 분말 25g
안정제(super neutrose) 4g
레몬즙 50g
생 체리 375g
체리 퓌레(Boiron®) 125g

CERISES GIVRÉES

15H

스리즈 지브레_소르베를 채운 체리

체리 셸 *Coques cerise*
체리 높이의 3/4 되는 지점 꼭대기를 뚜껑처럼 가로로 자른다. 씨를 제거한 다음 과육을 파낸다. 파낸 과육은 따로 보관한다. 속을 파낸 체리와 잘라놓은 뚜껑을 냉동실에 2시간 넣어둔다.

체리 소르베 *Sorbet cerise*
물을 뜨겁게 가열한다. 설탕과 글루코스 분말, 안정제를 혼합한 뒤 냄비 안의 뜨거운 물에 붓고 끓을 때까지 가열한다. 체리의 꼭지를 따고 씨를 제거한 다음 밑이 둥근 볼에 담는다. 체리 퓌레와 레몬즙을 첨가한다. 따로 보관해둔 파낸 체리 과육도 함께 넣어준다. 끓인 시럽을 체리에 붓는다. 핸드블렌더로 갈아 혼합한 다음 냉장고에 2시간 넣어둔다. 꺼내서 다시 한 번 블렌더로 갈아준 다음 아이스크림 메이커에 넣고 10~15분 정도 돌려 소르베를 만든다.

플레이팅 *Dressage*
지름 6mm 별 깍지를 끼운 짤주머니에 소르베를 채워 넣은 뒤 속을 파낸 체리 안에 짜 넣는다. 뚜껑을 얹어 바로 서빙한다.

휴지 : 2시간 + 2시간

CiTRONS

작업시간 : 30분

8인분

소르베를 채운 라임
CITRONS VERTS

라임 셸
라임 8개

라임 소르베
물 330g
설탕 170g
안정제(super neutrose) 10g
우유 270g
라임즙 330g
라임 제스트 3개분

GIVRÉS

시트롱 베르 지브레_소르베를 채운 라임

15H

라임 셸 *Coques citron vert*
라임 높이의 3/4 되는 지점 꼭대기를 뚜껑처럼 가로로 자른다. 스푼으로 라임 안의 과육을 어느 정도 파낸 다음 껍질을 냉동실에 2시간 넣어둔다. 파낸 과육은 따로 보관한다.

라임 소르베 *Sorbet citron vert*
냄비에 물을 넣고 뜨겁게 가열한다. 설탕과 글루코스 분말, 안정제를 혼합한 다음 물에 고루 뿌려 넣는다. 30초간 끓인 뒤 우유, 라임즙, 라임 제스트, 파 놓았던 라임 과육을 넣고 핸드블렌더로 갈아 혼합한다. 냉장고에 2시간 넣어둔다. 꺼내서 다시 한 번 블렌더로 간 다음 아이스크림 메이커에 넣고 10~15분 정도 돌려 소르베를 만든다.

플레이팅 *Dressage*
지름 8mm 원형 깍지를 끼운 짤주머니에 라임 소르베를 채운 뒤 라임 안에 짜 넣는다. 뚜껑을 얹어 바로 서빙한다.

8인분 작업시간 : 30분 휴지 : 2시간 + 2시간

소르베를 채운 코코넛
NOIX DE COCO

코코넛 셸
코코넛 4개

코코넛 소르베
코코넛 워터 380g
설탕 230g
글루코스 분말 12g
안정제(super neutrose) 6g
코코넛 밀크 750g

COCO NUTS

15H

누아 드 코코_소르베를 채운 코코넛

코코넛 셸 *Coques coco*
코코넛 높이의 3/4 되는 지점을 톱을 사용해 뚜껑처럼 가로로 자른다. 코코넛 워터를 따라낸 다음 껍데기를 냉동실에 2시간 넣어둔다.

코코넛 소르베 *Sorbet coco*
냄비에 코코넛 워터를 넣고 뜨겁게 가열한다. 설탕과 글루코스 분말, 안정제를 혼합한 다음 코코넛 워터에 넣고 끓을 때까지 가열한다. 냉장고에 넣어 2시간 동안 식힌 다음 코코넛 밀크를 넣고 핸드블렌더로 갈아 혼합한다. 아이스크림 메이커에 넣고 10~15분 정도 돌려 소르베를 만든다.

플레이팅 *Dressage*
지름 20mm 원형 깍지를 끼운 짤주머니에 코코넛 소르베를 채운 뒤 코코넛 셸 안에 짜 넣는다. 바로 서빙한다.

8인분 작업시간 : 30분 조리 : 1분 휴지 : 2시간 + 2시간

C MB

S

소르베를 채운 카피르 라임
COMBAVAS ACIDULRÉS

카피르 라임 셸
카피르 라임 8개

카피르 라임 소르베
물 140g
설탕 30g
글루코스 분말 70g
안정제(super neutrose) 3g
카피르 라임 퓌레 700g

S

A ·

COMBAVAS ACIDULÉS
콩바바 아시뒬레_ 소르베를 채운 카피르 라임

15H

카피르 라임 셸 *Coques combava*
카피르 라임 높이의 3/4 되는 지점 꼭대기를 뚜껑처럼 가로로 자른다. 카피르 라임을 바로 세울 수 있도록 바닥도 평평하게 조금 잘라낸다. 스푼으로 카리프 라임 안의 과육을 어느 정도 파낸 다음 껍질과 잘라낸 뚜껑을 냉동실에 2시간 넣어둔다. 파낸 과육은 따로 보관한다.

카피르 라임 소르베 *Sorbet combava*
냄비에 물을 넣고 뜨겁게 가열한다. 설탕과 글루코스 분말, 안정제를 혼합한 다음 물에 고루 뿌려 넣는다. 약 1분간 끓인 뒤 뜨거운 시럽을 카피르 라임 퓌레와 보관해 두었던 파낸 과육에 붓는다. 냉장고에 2시간 넣어둔다. 꺼내서 핸드블렌더로 간 다음 아이스크림 메이커에 넣고 10~15분 정도 돌려 소르베를 만든다.

플레이팅 *Dressage*
별 깍지(4호)를 끼운 짤주머니에 소르베를 채워 넣은 뒤 속을 파낸 카피르 라임 안에 짜 넣는다. 뚜껑을 얹어 바로 서빙한다.

8인분 작업시간 : 30분 휴지 : 2시간 + 2시간

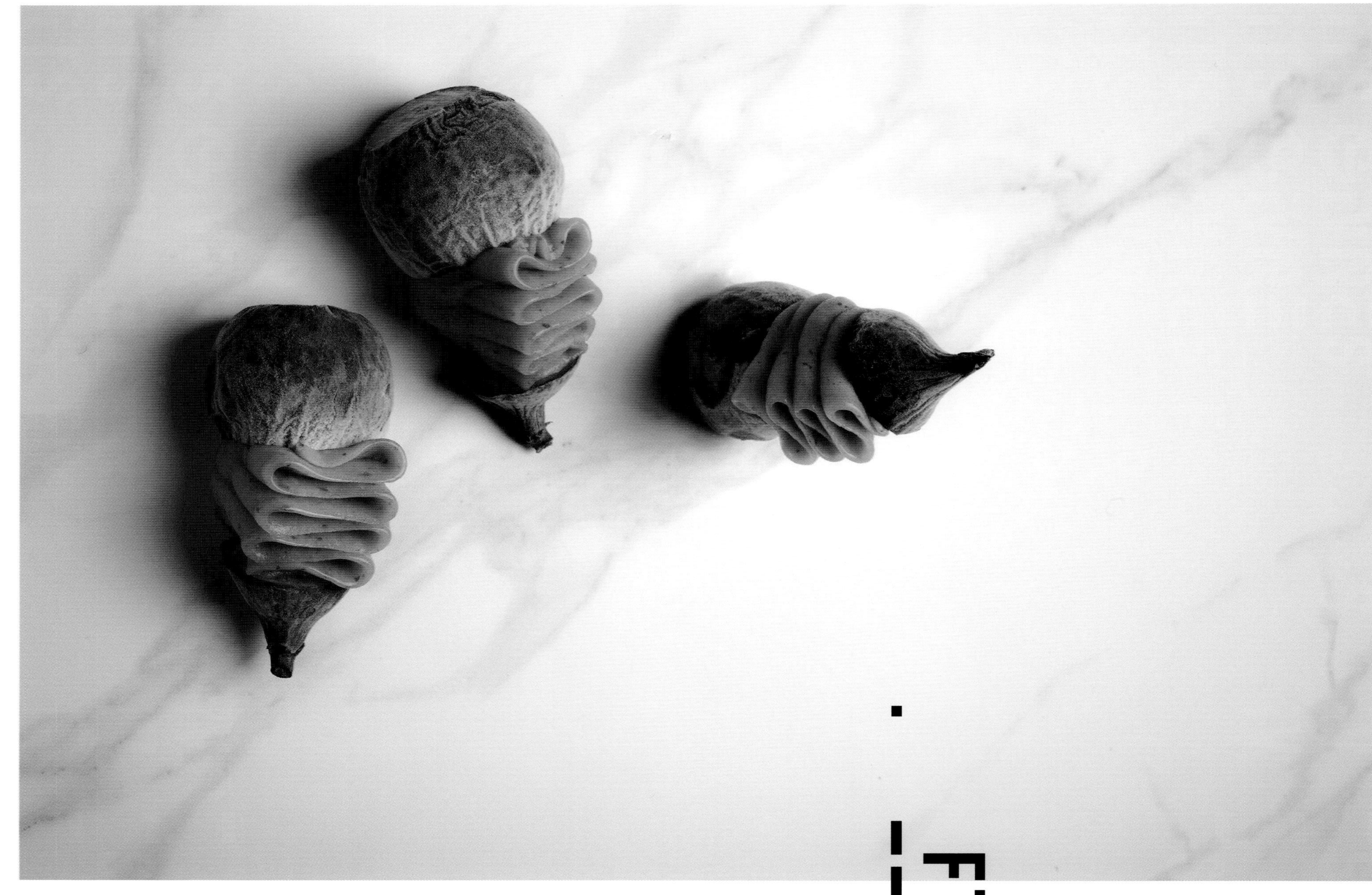

소르베를 채운 무화과
FIGUES

무화과 셸
무화과 8개

무화과 소르베
무화과나무 잎 1장
물 200g
보르도산 둥근 생 무화과 500g
라벤더 꿀 60g
글루코스 분말 10g
안정제(super neutrose) 3g

FIGUES GIVRÉES
피그_ 소르베를 채운 무화과

15H

무화과 셸 *Coques figue*
무화과 높이의 3/4 되는 지점 꼭대기를 뚜껑처럼 가로로 자른다. 무화과를 바로 세울 수 있도록 바닥도 평평하게 조금 잘라낸다. 스푼으로 무화과 안의 과육을 어느 정도 파낸 다음, 껍질과 잘라낸 뚜껑을 냉동실에 2시간 넣어둔다. 파낸 과육은 따로 보관한다.

무화과 소르베 *Sorbet figue*
무화과나무 잎을 끓는 물에 넣고 20분간 향을 우려낸다. 체에 거른 뒤 꿀을 넣고 40°C까지 가열한다. 글루코스 분말과 안정제를 넣어준다. 밑이 둥근 볼에 생 무화과를 껍질째 통으로 넣고 파낸 과육도 함께 넣어준다. 여기에 시럽을 붓고 핸드블렌더로 갈아 혼합한다. 냉장고에 2시간 넣어둔다. 아이스크림 메이커에 넣고 10~15분 정도 돌려 소르베를 만든다.

플레이팅 *Dressage*
생토노레 깍지를 끼운 짤주머니에 무화과 소르베를 채워 넣은 뒤 속을 파낸 무화과 안에 짜 넣는다. 뚜껑을 얹어 바로 서빙한다.

8인분　　작업시간 : 30분　　휴지 : 2시간 + 2시간 + 2시간

소르베를 채운 키위
KIWIS

키위 셸
그린키위 8개

키위 소르베
그린키위 450g
골드키위 150g
설탕 시럽(보메 30도, p.261 참조) 120g
레몬즙 50g

K

KiWiS

231

키위_소르베를 채운 키위

15H

i

키위 셸 *Coques kiwi*
키위 높이의 3/4 되는 지점 꼭대기를 뚜껑처럼 가로로 자른다. 스푼으로 키위 안의 과육을 어느 정도 파낸 다음 냉동실에 2시간 넣어둔다. 파낸 과육은 따로 보관한다.

키위 소르베 *Sorbet kiwi*
키위의 껍질을 벗긴 뒤 설탕을 솔솔 뿌려 더운 곳에 2시간 동안 둔다.
p.261의 레시피를 참조하여 보메 30도 설탕 시럽을 만든다. 뜨거운 시럽과 레몬즙을 설탕에 재운 키위와 파 놓았던 키위 과육에 붓는다. 핸드블렌더로 갈아 혼합한다. 냉장고에 2시간 넣어둔다. 아이스크림 메이커에 넣고 10~15분 정도 돌려 소르베를 만든다.

플레이팅 *Dressage*
얼려둔 키위 셸에 스푼으로 소르베를 동그랗고 소복하게 올라오도록 채워 넣는다.

8인분 작업시간 : 30분 휴지 : 2시간 + 2시간

소르베를 채운 망고
MANGUES FRAÎCHES

망고 셸
망고 4개

망고 소르베
생 망고 500g
설탕 시럽(보메 30도, p.261 참조) 150g
레몬즙 40g

FRAICHES
F A H S

MA -

MANGUES

15H

망그 프레슈_소르베를 채운 망고

망고 셸 *Coques mangue*
망고의 납작한 씨를 중심으로 양쪽 살을 잘라낸다. 스푼으로 살을 어느 정도 파낸 뒤 반쪽짜리 망고 셸을 냉동실에 2시간 넣어 얼린다. 파낸 과육은 따로 보관한다.

망고 소르베 *Sorbet mangue*
망고의 껍질을 벗겨 살만 잘라낸다. p.261의 레시피를 참조하여 보메 30도 설탕 시럽을 만든 뒤 망고 살에 붓는다. 레몬즙과 파놓았던 과육도 함께 넣어준다. 핸드블렌더로 갈아 혼합한다. 냉장고에 2시간 넣어둔다. 꺼내서 다시 한 번 블렌더로 갈아준 다음 아이스크림 메이커에 넣고 10~15분 정도 돌려 소르베를 만든다.

플레이팅 *Dressage*
생토노레 깍지를 끼운 짤주머니에 소르베를 채운 넣은 뒤 얼려둔 망고 셸 안에 짜 넣는다. 바로 서빙한다.

8인분 | 작업시간 : 30분 | 휴지 : 2시간 + 2시간

소르베를 채운 패션푸르트
FRUITS DE LA PASSION

패션프루트 셸
패션프루트(백향과) 15개

패션프루트 소르베
물 250g
설탕 125g
글루코스 분말 50g
안정제(super neutrose) 7g
우유 250g
패션프루트 퓌레 250g

P PASSiON

프뤼 드 라 파시옹
_소르베를 채운 패션푸르트

15H

패션프루트 셸 *Coques Passion*
패션푸르트 높이의 3/4 되는 지점 꼭대기를 뚜껑처럼 가로로 자른다. 스푼으로 안의 과육을 떠낸 다음, 껍질과 잘라낸 뚜껑을 냉동실에 2시간 넣어둔다. 떠낸 과육은 따로 보관한다.

패션프루트 소르베 *Sorbet Passion*
냄비에 물을 넣고 뜨겁게 가열한다. 설탕과 글루코스 분말, 안정제를 혼합한 다음 물에 고루 뿌려 넣는다. 끓을 때까지 가열한다. 용기에 덜어내어 냉장고에 2시간 넣어둔다. 식힌 시럽에 패션프루트 퓌레, 껍질에서 파낸 과육, 우유를 넣고 핸드블렌더로 갈아 혼합한다. 아이스크림 메이커에 넣고 10~15분 정도 돌려 소르베를 만든다.

플레이팅 *Dressage*
지름 12mm 원형 깍지를 끼운 짤주머니에 소르베를 채운 넣은 뒤 패션프루트 껍데기 안에 짜 넣는다. 뚜껑을 얹어 바로 서빙한다.

8인분 작업시간 : 30분 휴지 : 2시간 + 2시간

소르베를 채운 복숭아
PÊCHES

복숭아 셸
복숭아 8개

복숭아 소르베
물 250g
설탕 125g
글루코스 분말 50g
안정제(super neutose) 7g
복숭아 퓌레 250g
신선 복숭아 주스 250g

15H

PÊCHES

페슈_소르베를 채운 복숭아

복숭아 셸 *Coques pêche*
복숭아 높이의 3/4 되는 지점 꼭대기를 뚜껑처럼 가로로 자른다. 조심스럽게 씨를 빼낸 다음 스푼으로 안의 과육을 조금 파낸다. 복숭아 셸을 냉동실에 2시간 넣어둔다. 파낸 과육은 따로 보관한다.

복숭아 소르베 *Sorbet pêche*
냄비에 물을 넣고 뜨겁게 가열한다. 설탕과 글루코스 분말, 안정제를 혼합한 다음 물에 고루 뿌려 넣는다. 끓을 때까지 가열한다. 용기에 덜어내어 냉장고에 2시간 넣어둔다. 식힌 시럽에 복숭아 퓌레, 복숭아 주스, 파내둔 복숭아 과육을 넣고 핸드블렌더로 갈아 혼합한다. 아이스크림 메이커에 넣고 10~15분 정도 돌려 소르베를 만든다.

플레이팅 *Dressage*
지름 16mm 원형 깍지를 끼운 짤주머니에 소르베를 채운 넣은 뒤 얼려둔 복숭아 안에 짜 넣는다. 바로 서빙한다.

8인분 작업시간 : 30분 휴지 : 2시간 + 2~3시간

소르베를 채운 서양배
POIRES

서양배 셸
서양배(Conférence 품종) 8개

서양배 소르베
물 210g
설탕 210g
글루코스 분말 55g
안정제(super nerutose) 2g
서양배 퓌레 250g
윌리엄 서양배 브랜디(Williamine®) 15g

POIRES

푸아르_소르베를 채운 서양배

15H

서양배 셸 *Coques poire*
서양배 높이의 3/4 되는 지점 꼭대기를 뚜껑처럼 가로로 자른다. 스푼으로 속과 씨를 도려내듯 꺼내면서 과육을 조금 파낸 다음 잘라낸 뚜껑과 함께 냉동실에 2시간 넣어둔다. 파낸 과육은 따로 보관한다.

서양배 소르베 *Sorbet poire*
냄비에 물을 넣고 뜨겁게 가열한다. 설탕과 글루코스 분말, 안정제를 혼합한 다음 물에 고루 뿌려 넣는다. 끓을 때까지 가열한다. 용기에 덜어내어 냉장고에 2~3시간 넣어둔다. 식힌 시럽에 서양배 퓌레, 서양배 브랜디, 파내 둔 서양배 과육을 넣고 핸드블렌더로 갈아 혼합한다. 아이스크림 메이커에 넣고 10~15분 정도 돌려 소르베를 만든다.

플레이팅 *Dressage*
지름 18mm 원형 깍지를 끼운 짤주머니에 소르베를 채운 넣은 뒤 얼려둔 서양배 안에 짜 넣는다. 뚜껑을 얹어 바로 서빙한다.

휴지 : 2시간 + 2~3시간

POM M

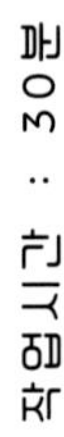

작업시간 : 30분

8인분

소르베를 채운 사과
POMMES

사과 셸
사과(Royal Gala) 8개

사과 소르베
물 210g
설탕 125g
글루코스 분말 65g
안정제(super nerutose) 2g
사과(Granny Smith) 즙 250g
만자나(Manzana®) 청사과 브랜디 15g

POMMES GIVRÉES

S

15H

폼_소르베를 채운 사과

사과 셸 *Coques poire*
사과 높이의 3/4 되는 지점을 뚜껑처럼 가로로 자른다. 스푼으로 속과 씨를 도려내듯 꺼내면서 과육을 조금 파낸 다음 잘라낸 뚜껑과 함께 냉동실에 2시간 넣어둔다. 파낸 과육은 따로 보관한다.

사과 소르베 *Sorbet poire*
냄비에 물을 넣고 뜨겁게 가열한다. 설탕과 글루코스 분말, 안정제를 혼합한 다음 물에 고루 뿌려 넣는다. 끓을 때까지 가열한다. 용기에 덜어내어 냉장고에 2~3시간 넣어둔다. 식힌 시럽에 사과 즙, 청사과 브랜디, 파내 둔 사과 과육을 넣고 핸드블렌더로 갈아 혼합한다. 아이스크림 메이커에 넣고 10~15분 정도 돌려 소르베를 만든다.

플레이팅 *Dressage*
지름 24mm 원형 깍지를 끼운 짤주머니에 소르베를 채운 넣은 뒤 얼려둔 사과 안에 짜 넣는다. 바로 서빙한다.

17H

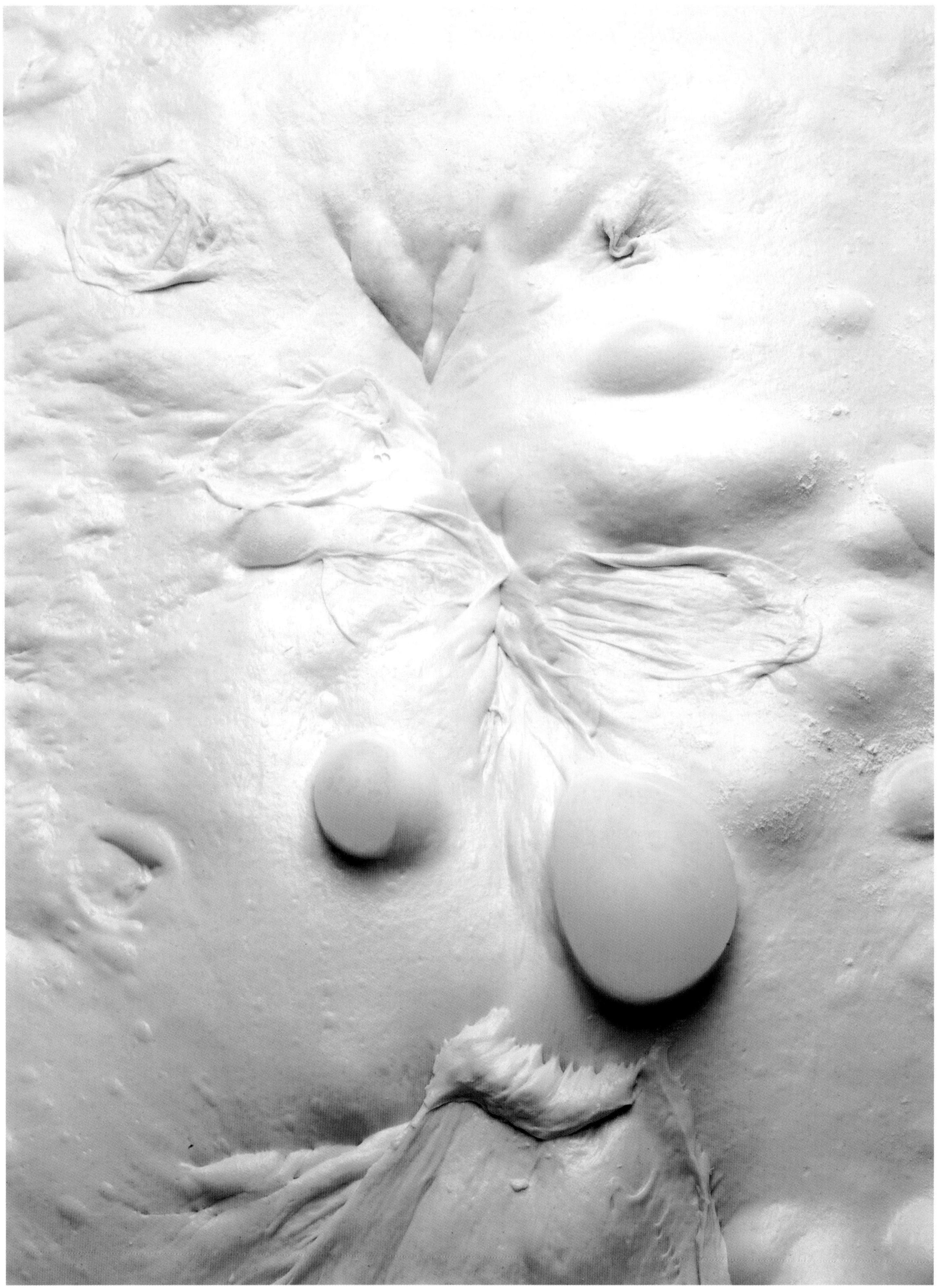

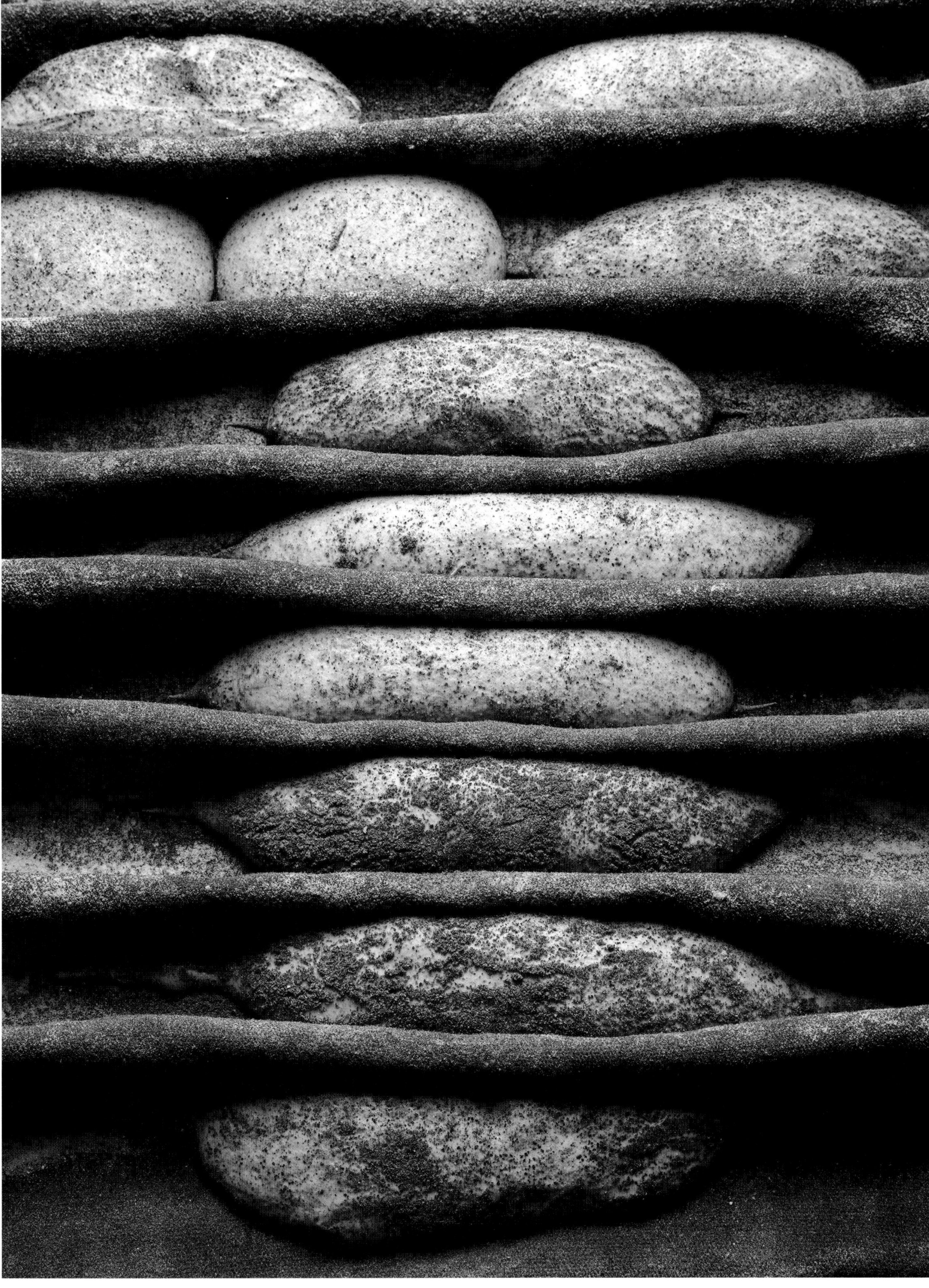

8개 분량 작업시간 : 30분 조리 : 10~12분 휴지 : 2시간 + 24시간 + 1시간

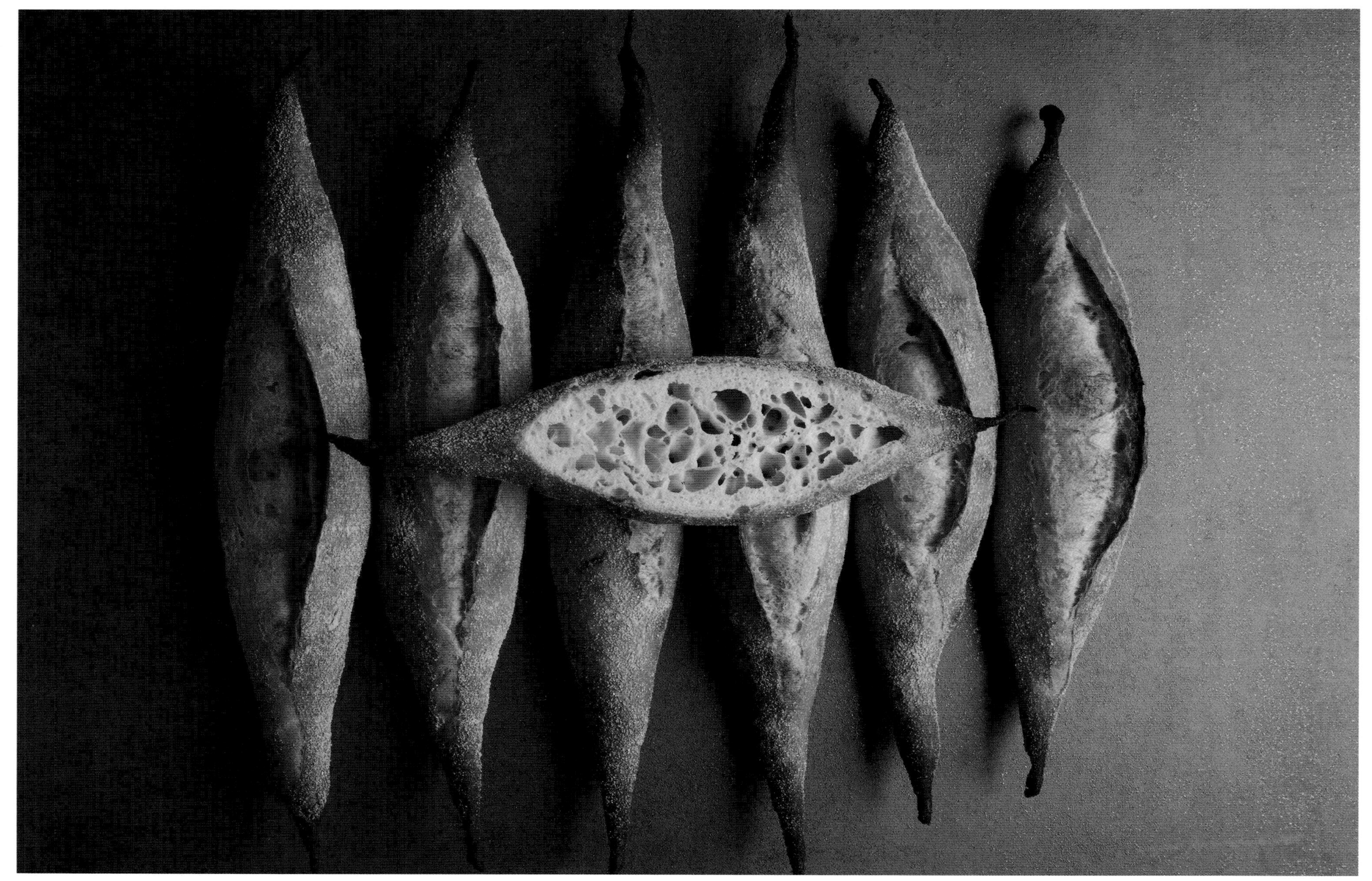

프렌치 전통 바게트
TRADITION FRANÇAISE

제빵용 밀가루(farine de tradition T65) 500g
물(1) 330g
소금 10g
이스트 2.5g
액상 발효종(르뱅) 100g
물(2) 15g

LA 247

R TRADiTiON

트라디시옹 프랑세즈_

17H

프렌치 전통 바게트

반죽 *Pétrissage*

전동 스탠드 믹서 볼에 밀가루, 16°C의 물(1)을 넣고 도우 훅을 돌려 섞는다. 속도 1로 3분간 반죽한 뒤 랩을 씌워 상온에서 2시간 휴지시킨다. 소금과 이스트를 따로 넣어준다. 다시 속도 1로 4분간 반죽한다. 액상 발효종과 물(2)을 넣고 같은 속도로 8분간 더 반죽한다. 반죽을 덜어낸 다음 용기에 담고 랩이나 뚜껑을 씌워둔다.

1차 발효 *Pointage*

랩을 덮은 상태로 냉장고(3°C)에 반죽을 넣어 하룻밤 휴지시킨다.

성형 *Façonnage*

반죽을 각 160g씩 소분한 뒤 바게트 모양으로 성형한다. 상온에서 45분~1시간 동안 2차 발효시킨다.

굽기 *Cuisson*

250~260°C로 예열한 오븐에서 10~12분간 굽는다.

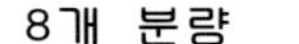

8개 분량 　 작업시간 : 20분 　 조리 : 6분 　 휴지 : 30분

P

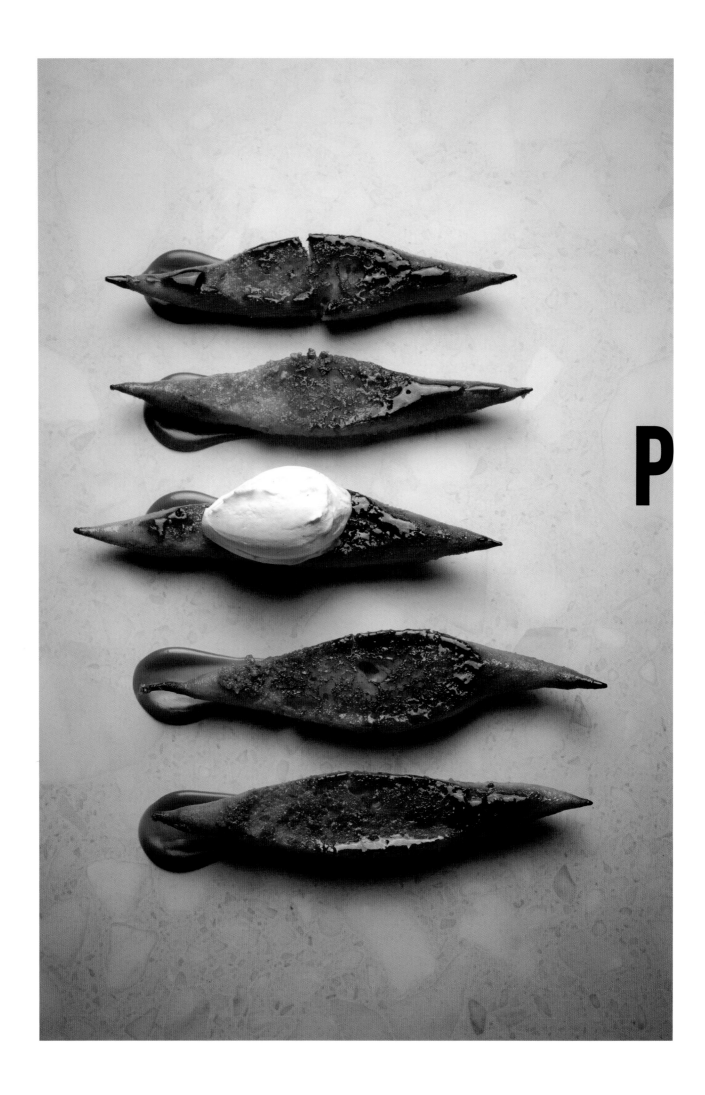

프렌치 토스트
PAIN PERDU

프렌치 토스트 담금액 혼합물
우유 400g
바닐라 빈 1줄기
생크림 60g
달걀 3개
설탕 35g

캐러멜 소스
생크림 500g
바니라 빈 2줄기
설탕 500g

팽 페르뒤_프렌치 토스트
PAIN PERDU

17H

프렌치 토스트 담금액 혼합물 *Appareil à pain perdu*
큰 용기에 재료를 모두 넣고 핸드블렌더로 갈아 혼합한다.

캐러멜 소스 *Sauce Caramel*
냄비에 생크림을 넣고 뜨겁게 데운 다음 길게 갈라 긁은 바닐라 빈을 넣어 향을 우려낸다. 다른 냄비에 설탕을 넣고 가열해 캐러멜을 만든다. 여기에 바닐라 향이 우러난 뜨거운 크림을 붓고 잘 섞는다. 2분간 끓인 뒤 체에 거른다.

완성하기, 굽기 *Finitions et cuisson*
바게트의 양끝은 그대로 둔 상태로 윗부분을 가로로 잘라낸다. 담금액 혼합물에 바게트를 잠기도록 넣고 30분간 적셔둔다. 건져서 살짝 털어낸 다음 표면에 설탕이 고루 묻도록 굴린다. 팬에 버터를 두르고 거품이 일기 시작하면 바게트를 넣고 양면을 각각 3분씩 지진다. 캐러멜 소스를 곁들인다.

A X EXS EXES
ANN ANNEXS NNEXE
S A NEXES ANNEX
EX NNEXES A
ANNE N N
AN EXS N E
NE
NNE
A E ES
N E SAN EXS
EXES N EXES
AN S
AN NEX
AN EXES ANN AN EXE
ANNE A EX
AN ANNE ES A S

ANNEXES

부록

브리오슈 반죽
PÂTE À BRIOCHE

밀가루 (T45) 1kg
소금 25g
설탕 120g
제빵용 생 이스트 40g
달걀 450g
우유 150g
버터 500g

전동 스탠드 믹서 볼에 버터를 제외한 재료를 모두 넣고 도우훅을 속도 1로 돌려 35분간 반죽한다. 버터를 넣고 속도 2로 올린 뒤 8분간 더 반죽한다. 젖은 행주로 덮고 부피가 약 2배로 부풀도록 한 시간 정도 발효시킨다. 반죽을 펀칭해 공기를 뺀 다음 성형 후 2차 발효한다.

브리오슈 푀유테 반죽
PÂTE À BRIOCHE FEUILLETÉE

밀가루 (T45) 825g
고운 소금 12g
설탕 50g
달걀 150g
우유 300g
이스트 75g
포마드 상태의 버터 75g
푀유타주용 저수분 버터 450g

전동 스탠드 믹서 볼에 밀가루, 소금, 설탕, 달걀, 우유, 이스트를 넣고 도우훅을 속도 1로 돌려 섞는다. 균일하게 혼합되면 속도 2로 올린 뒤 반죽이 볼 내벽에서 떨어질 때까지 반죽한다. 상온에서 부드러워진 포마드 상태의 버터를 넣고 다시 균일하게 혼합한다. 젖은 행주로 덮고 상온(24~25°C)에서 한 시간 동안 발효시킨다.

반죽을 꺼내 손으로 펀칭하며 가스를 뺀다. 준비한 푀유타주용 버터 크기와 같은 폭, 두 배의 길이가 되도록 반죽을 민다. 냉동실에 5분 넣었다가 냉장실로 옮겨 15분간 넣어둔다.

반죽 가운데에 버터를 놓고 양쪽 끝을 가운데로 접어 덮는다. 버터가 보이는 쪽을 작업자 앞으로 오게 놓고 4절 밀어접기(un tour double)를 1회 실시한다. 우선 반죽을 아래에서 위를 향해 두께 7mm로 민다. 중간 부분에 살짝 표시를 한 다음 위, 아래를 각각 표시한 선까지 접는다. 다시 반으로 지갑처럼 접어준다. 냉장고에 10분간 넣어 휴지시킨다. 이어서 3절 밀어접기(un tour simple)를 1회 실시한다. 반죽을 1cm 두께로 민 다음 위쪽 끝을 아래에서 1/3되는 지점까지 접고 아래쪽 끝도 마찬가지로 3등분으로 접어 덮어준다. 완성된 푀유타주 반죽을 바로 3.5mm 두께로 민다.

크루아상 반죽
PÂTE À CROISSANT

밀가루 (T45) 1kg
물 420g
달걀 50g
설탕 100g
이스트 45g
소금 18g
꿀 20g
포마드 상태의 버터 70g
푀유타주용 저수분 버터 400g

전동 스탠드 믹서 볼에 밀가루, 물, 달걀, 이스트, 소금, 설탕, 꿀을 넣고 도우훅을 속도 1로 돌려 섞는다. 균일하게 혼합되면 속도 2로 올린 뒤 반죽이 볼 내벽에서 떨어질 때까지 반죽한다. 상온에서 부드러워진 포마드 상태의 버터를 넣고 다시 균일하게 혼합한다. 젖은 행주로 덮고 상온(24~25°C)에서 한 시간 동안 발효시킨다.

반죽을 꺼내 손으로 펀칭하며 가스를 뺀다. 준비한 푀유타주용 버터 크기와 같은 폭, 두 배의 길이가 되도록 반죽을 민다. 냉동실에 5분 넣었다가 냉장실로 옮겨 15분간 넣어둔다.

반죽 가운데에 버터를 놓고 양쪽 끝을 가운데로 접어 덮는다. 버터가 보이는 쪽을 작업자 앞으로 오게 놓고 4절 밀어접기(un tour double)를 1회 실시한다. 우선 반죽을 아래에서 위를 향해 두께 7mm로 민다. 중간 부분에 살짝 표시를 한 다음 위, 아래를 각각 표시한 선까지 접는다. 다시 반으로 지갑처럼 접어준다. 냉장고에 10분간 넣어 휴지시킨다. 이어서 3절 밀어접기(un tour simple)를 1회 실시한다. 반죽을 1cm 두께로 민 다음 위쪽 끝을 아래에서 1/3 되는 지점까지 접고 아래쪽 끝도 마찬가지로 3등분으로 접어 덮어준다. 완성된 푀유타주 반죽을 바로 3.5mm 두께로 민다.

푀유타주
FEUILLETAGE

- 뵈르 마니에 *beurre manié*

푀유타주용 저수분 버터 330g
밀가루(farine de gruau) 135g

- 데트랑프 *détrempe*

물 130g
소금 12g
흰색 식초 3g
부드러워진 버터 102g
밀가루(farine de gruau) 315g

전동 스탠드 믹서 볼에 푀유타주용 버터와 밀가루를 넣고 플랫비터를 10분간 돌려 혼합한다. 이 뵈르 마니에를 꺼내 40cm x 115cm, 두께 10mm의 긴 직사각형으로 민다.

전동 스탠드 믹서 볼에 데트랑프 재료를 모두 넣고 도우훅을 돌려 균일하게 혼합될 때까지 약 15분간 반죽한다.

데트랑프 반죽을 사방 38cm, 두께 10mm 정사각형으로 민 다음 뵈르 마니에 중앙에 놓는다. 위와 아래 끝을 가운데로 접어 데트랑프 반죽을 감싸준다.

3절 밀어접기를 총 4회 실시한다. 우선 반죽을 길게 민 다음 위아래를 각각 3절로 접어 냉장고에서 1시간 휴지시킨다(1회 완성). 꺼내서 마찬가지 방법으로 다시 한 번 밀어접기를 한 뒤 냉장고에 넣어둔다(2회 완성). 마지막 3절 접기 2회를 실시할 때는 비정제 황설탕과 파넬라 설탕을 혼합하여 매번 반죽 위에 펴 발라준다. 매 회마다 냉장 휴지 시간을 잘 준수한다. 완성된 푀유타주 반죽을 4mm 두께로 민다.

사블레 바스크 반죽
PÂTE SABLÉE BASQUE

버터 250g
비정제 황설탕 220g
달걀 90g
밀가루 (T55) 310g
아몬드가루 154g
이스트 16g
소금 3g

볼에 버터와 설탕을 넣고 섞는다. 달걀을 넣어 혼합한 뒤 밀가루, 아몬드가루, 이스트, 소금을 넣어준다. 혼합물을 3mm 두께로 민 다음 냉동실에 40분간 넣어둔다.

파운드케이크 반죽
PÂTE QUATRE-QUARTS

달걀 4개
밀가루 (T55) 250g
가염 버터 250g
비정제 설탕 150g

푸드 프로세서에 재료를 모두 넣고 갈아 섞는다.

바바 반죽
PÂTE À BABA

이스트 17g
밀가루 (T55) 450g
소금 4g
버터 140g
꿀 17g
달걀 500g
우유 25g

전동 스탠드 믹서 볼에 이스트, 밀가루, 소금, 버터, 꿀을 넣고 도우훅을 속도 2로 돌린다. 달걀을 조금씩 넣고 이어서 우유를 넣어가며 혼합물이 믹싱볼 내벽에 더 이상 붙지 않고 떨어질 때까지 반죽한다.

비스퀴 아 라 퀴예르
BISCUIT À LA CUILLÈRE

달걀노른자 6개분
달걀흰자 6개분
설탕 164g
밀가루 164g
설탕
슈거파우더

믹싱볼에 달걀노른자와 설탕 분량의 반을 넣고 전동거품기를 돌려 섞는다. 이어서 볼에 달걀흰자와 나머지 분량의 설탕을 넣고 거품을 올린다. 이 둘을 합한 뒤 밀가루를 넣고 실리콘 주걱으로 살살 섞는다. 설탕과 슈거파우더를 솔솔 뿌린다. 오븐을 180°C로 예열한다.

반죽 혼합물을 베이킹 팬 위에 2mm 두께로 펼친 다음 오븐에서 10분간 굽는다.

–

크럼블
CRUMBLE

밀가루 (T45) 110g
설탕 75g
버터 110g

전동 스탠드 믹서 볼에 버터와 설탕을 넣고 플랫비터를 돌려 크리미하게 혼합한다. 여기에 밀가루를 넣는다. 혼합물을 입자가 굵은 체에 내린 뒤 냉동실에 30분간 넣어둔다.

D BASE

S A

슈 반죽
PÂTE À CHOUX

우유 150g
물 150g
전화당(트리몰린) 18g
소금 6g
버터 132g
밀가루 180g
달걀 5개

냄비에 우유, 물, 전화당, 소금, 버터를 넣고 끓인다. 불에서 내린 뒤 밀가루를 한번에 넣는다. 다시 불에 올리고 주걱으로 세게 저어 섞으며 수분을 날린다. 전동 스탠드 믹서 볼에 덜어낸 뒤 달걀을 조금씩 넣어가며 플랫비터를 돌려 섞는다. 상온에서 1시간 휴지시킨다.

파트 쉬크레
PÂTE SUCRÉE

버터 150g
슈거파우더 95g
아몬드가루 30g
게랑드(Guérande) 소금 1g
바닐라가루 1g
달걀 1개
밀가루 (T55) 250g

전동 스탠드 믹서 볼에 버터, 슈거파우더, 아몬드가루, 소금, 바닐라가루를 넣고 플랫비터를 돌려 섞는다. 달걀을 넣고 유화한 다음 밀가루를 넣어준다. 균일한 반죽이 될 때까지 잘 섞는다. 냉장고에 4시간 넣어둔다.

BASE
A

기본 레시피

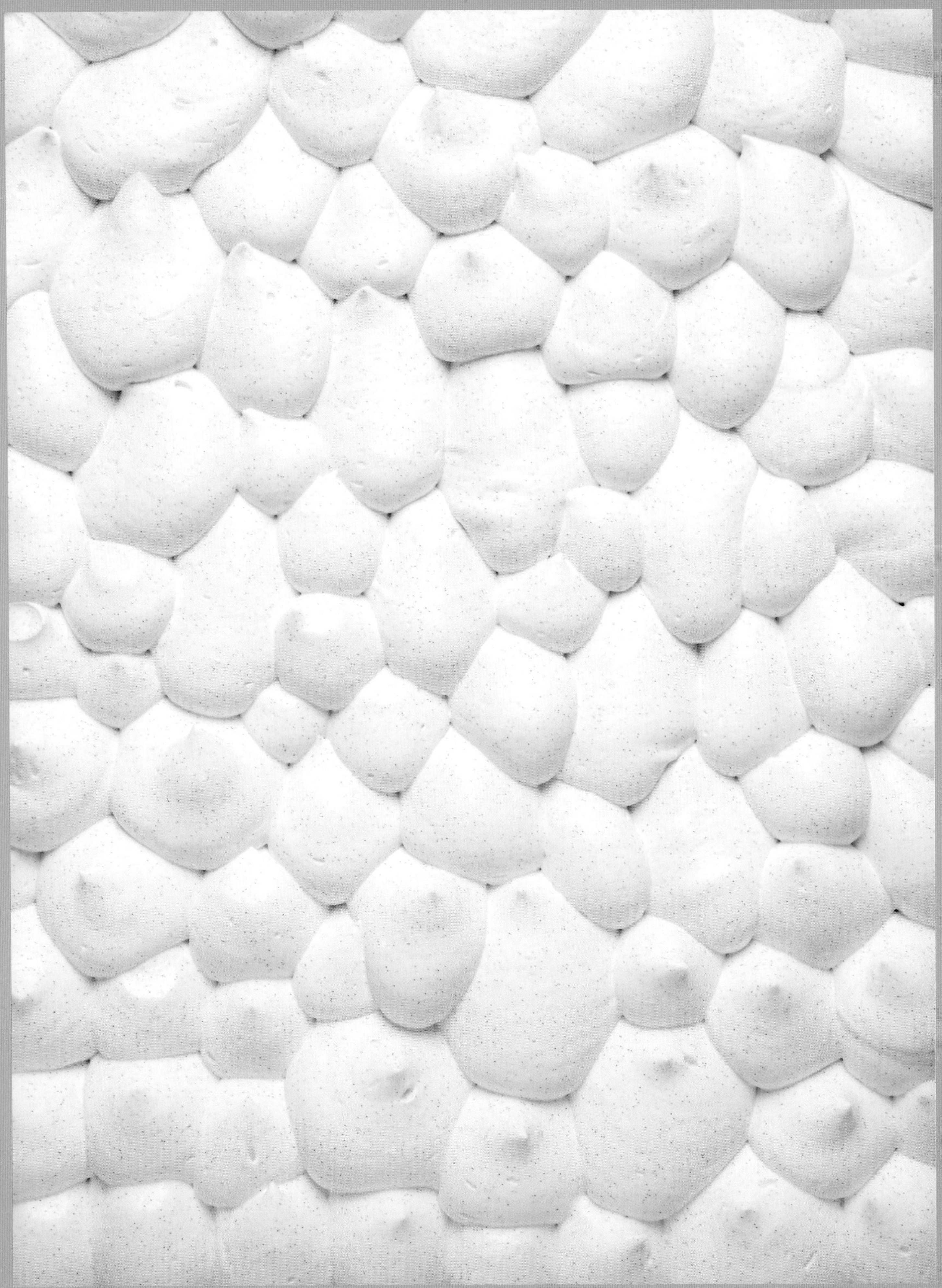

크렘 파티시에
CRÈME PÂTISSIÈRE

우유 450g
액상 생크림 50g
바닐라 빈 2줄기
설탕 90g
커스터드 분말 25g
밀가루 25g
달걀노른자 90g
카카오버터 30g
판 젤라틴 4장
버터 50g
마스카르포네 30g

젤라틴을 찬물에 불린다. 냄비에 우유와 생크림을 넣고 뜨겁게 데운 뒤 길게 갈라 긁은 바닐라 빈을 넣고 20분간 향을 우려낸다. 볼에 설탕, 커스터드 분말, 밀가루, 달걀노른자를 넣고 뽀얗게 될 때까지 거품기로 잘 저어 섞는다. 바닐라 향이 우러난 우유, 생크림 혼합물을 체에 거른 뒤 끓을 때까지 가열한다. 이것을 볼의 혼합물에 붓고 잘 섞은 다음 다시 전부 냄비로 옮긴다. 불에 올려 가열하고 약 2분간 끓인다. 불에서 내린 뒤 카카오버터를 넣고 이어서 물을 꼭 짠 젤라틴, 버터, 마지막으로 마스카르포네를 넣어준다. 핸드블렌더로 갈아 혼합한 다음 냉장고에 30분간 넣어 식힌다.

–

크렘 앙글레즈
CRÈME ANGLAISE

우유 330g
달걀노른자 200g
설탕 150g

냄비에 우유를 넣고 뜨겁게 데운다. 볼에 달걀노른자와 설탕을 넣고 뽀얗게 될 때까지 거품기로 휘저어 섞는다. 여기에 뜨거운 우유를 붓고 잘 섞은 다음 다시 냄비로 옮겨 불에 올리고 80°C가 될 때까지 잘 저으며 가열한다.

크렘 다망드(아몬드 크림)
CRÈME D'AMANDE

버터 50g
설탕 50g
아몬드가루 50g
달걀 50g

전동 스탠드 믹서 볼에 버터와 설탕, 아몬드가루를 넣고 플랫비터를 돌려 혼합한다. 달걀을 조금씩 넣으며 계속 돌려 섞는다. 혼합물을 짤주머니에 채워둔다.

–

크렘 오 뵈르(버터 크림)
CRÈME AU BEURRE

우유 180g
달걀노른자 140g
설탕(1) 180g
버터 800g
물 78g
설탕(2) 233g
달걀흰자 112g

우유, 달걀노른자, 설탕으로 크렘 앙글레즈를 만든다(p.259 레시피 참조).

전동 스탠드 믹서 볼에 버터를 넣고 크렘 앙글레즈를 조금씩 넣어가며 거품기를 돌려 섞어준다. 다른 볼에 달걀흰자의 거품을 올린다.

냄비에 물과 설탕을 섞고 가열한다. 시럽의 온도가 120°C에 달하면 불에서 내린 뒤 거품올린 달걀흰자에 붓는다. 혼합물이 식을 때까지 계속해서 거품기를 돌려 섞는다. 여기에 크렘 앙글레즈, 버터 혼합물을 넣고 실리콘 주걱으로 섞어준다.

헤이즐넛 프랄리네
PRALINÉ NOISETTE

헤이즐넛 500g
설탕 200g
소금(플뢰르 드 셀) 10g
카카오버터 70g
푀유틴 70g

오븐을 160°C로 예열한다. 오븐팬에 헤이즐넛을 한 켜로 펼쳐놓고 오븐에 넣어 15분간 굽는다.

냄비에 설탕을 넣고 가열해 캐러멜을 만든다.

푸드 프로세서에 헤이즐넛과 캐러멜, 소금을 넣고 갈아준다. 전동 스탠드 믹서 볼에 덜어낸 뒤 플랫비터를 돌린다. 카카오버터와 푀유틴을 넣고 섞어준다.

–

바닐라 프랄리네
PRALINÉ VANILLE

속껍질까지 벗긴 아몬드 375g
바닐라 빈 10g
설탕 250g
물 165g

오븐을 140°C로 예열한다. 오븐팬에 아몬드와 바닐라를 펼쳐놓고 오븐에 넣어 20분간 굽는다.

냄비에 설탕과 물을 넣고 가열한다. 시럽의 온도가 110°C에 달하면 아몬드와 잘게 썬 바닐라 빈을 넣어준다. 모래처럼 굳어 붙는 상태를 지나 캐러멜라이즈될 때까지(165°C) 잘 저으며 가열한다. 유산지 위에 덜어 펼쳐놓고 식힌다. 완전히 식으면 푸드 프로세서에 넣고 굵직하게 분쇄한다.

카카오닙스 프랄리네
PRALINÉ GRUÉ

헤이즐넛 500g
설탕 150g
소금(플뢰르 드 셀) 10g
카카오닙스 200g
포도씨유 200g

오븐을 160°C로 예열한다. 오븐팬에 헤이즐넛을 한 켜로 펼쳐놓고 오븐에 넣어 10분간 굽는다. 냄비에 설탕을 넣고 가열해 캐러멜을 만든다. 푸드 프로세서에 헤이즐넛과 캐러멜, 카카오닙스를 넣고 갈아준다. 전동 스탠드 믹서 볼에 덜어낸 뒤 포도씨유, 소금을 넣고 플랫비터를 돌려 섞어준다.

레몬 젤
GEL CITRON JAUNE

레몬즙 500g
설탕 50g
한천 가루(agar-agar) 8g

냄비에 레몬즙을 넣고 끓인 뒤 설탕과 한천 가루를 넣고 잘 저어 섞는다. 젤이 굳으면 푸드 프로세서에 넣고 분쇄한다.

–

라즈베리 잼
CONFITURE DE FRAMBOISE

냉동 라즈베리 250g
설탕 150g
펙틴 NH 5g
레몬즙 10g

냄비에 라즈베리, 설탕 분량의 반을 넣고 뜨겁게 가열한다. 나머지 설탕을 펙틴과 혼합한 다음 냄비에 넣고 1분간 끓인다. 체에 거른 레몬즙을 넣어준다. 블렌더로 갈아 혼합한 다음 진공 비닐팩에 넣어 보관한다.

머랭
MERINGUE

달걀흰자 200g
설탕 180g
슈거파우더 200g
코코아가루 20g

전동 스탠드 믹서 볼에 달걀흰자와 설탕을 넣고 거품기로 돌려 머랭을 만든다. 슈거파우더를 넣고 실리콘 주걱으로 조심스럽게 섞어준다. 지름 18mm 원형 깍지를 끼운 짤주머니에 머랭을 채운다. 유산지를 얹은 베이킹 팬에 머랭을 튜브 모양으로 짜 놓는다. 오븐을 90°C로 예열한다. 머랭에 코코아가루를 솔솔 뿌린 다음 오븐에 넣어 1시간 동안 굽는다.

–

보메 30도 시럽
SIROP À 30°

물 1리터
설탕 1.3kg

냄비에 물과 설탕을 넣고 섞는다. 센 불에 올려 끓을 때까지 가열한다. 팔팔 끓어오르면 불에서 내린다. 상온으로 식힌 뒤 냉장고에 보관한다.

BASES DE

기본 레시피

—

ACIDE TARTRIQUE 아시드 타르트리크

주석산, 타타르산

제과제빵에서 유화제, 촉진제, 맛과 색의 안정제로 사용되는 가루.

—

AGAR-AGAR 아가르 아가르

한천 가루

우뭇가사리과의 해초에서 추출한 천연 식물성 겔화제.

—

CHIA 시아

치아, 치아 씨

멕시코가 원산지인 초본 식물로 이미 고대 아즈텍 시대부터 재배하였으며 그 씨를 즐겨먹었다. 치아 씨는 각종 영양소와 효능이 풍부하여 전 세계에서 수퍼푸드로 각광을 받고 있다.

—

CHOCOLAT DE COUVERTURE

쇼콜라 드 쿠베르튀르

커버처 초콜릿

카카오 버터 함량이 높은 초콜릿으로 제과제빵 또는 당과류 제조에 주로 사용된다. 전문 재료상이나 인터넷에서 구매할 수 있다.

—

COLORANT LIPOSOLUBLE

콜로랑 리포솔뤼블

지용성 색소

물에 녹는 수용성(hydrosoluble) 색소와 달리 지방에 녹는 분말형 식용 색소. 초콜릿 데커레이션, 슈거 페이스트 또는 아몬드 페이스트 등의 색을 내는 데 사용된다.

PCB® 브랜드의 식용 색소는 좋은 품질로 인기가 높다.

—

CODINEIGE 코디네주

코디네주 데커레이션용 슈거파우더

눈처럼 고운 설탕 분말로 습기가 있어도 잘 녹지 않기 때문에 파티스리에서 많이 사용된다.

—

COMBAVA 콩바바

카피르 라임

인도네시아가 원산지인 재래종 시트러스 과일로 레몬과 비슷하지만 녹색의 울퉁불퉁한 껍질을 갖고 있으며 신맛이 더 강하다.

—

FEUILLETINE 푀유틴

푀유틴 크리스피

레이스처럼 얇고 바삭한 가보트(Gavottes®) 타입의 과자를 부순 크리스피.

—

FONDANT PATISSIER 퐁당 파티시에

퐁당 슈거, 퐁당 아이싱

설탕과 물로 만든 혼합물로 제과의 아이싱용으로 사용된다. 흰색 또는 식용색소를 넣어 다양한 색으로 사용할 수 있다.

—

GLUCOSE ATOMISÉ 글뤼코즈 아토미제

글루코스 분말

분말 형태의 글루코스로 단맛을 너무 강하게 내지 않으면서도 아이스크림의 질감과 보존성을 개선하는 효과가 있다. 전문 재료상이나 인터넷에서 구매할 수 있다.

—

MIEL «BÉTON» 미엘 베통

베통 꿀

'콘크리트' 꿀이라는 뜻을 가진 미엘 베통은 도심에서 꿀을 채집하는 도심 양봉 프로젝트에 의해 생산되는 꿀로, 다양한 향으로 유명하다.

—

PECTINE NH 펙틴 NH

펙틴 NH

사과나 포도 등에서 추출한 천연 식물성 응고제, 증점제로 주로 즐레나 잼을 만들 때 사용한다. 전문 재료상이나 인터넷에서 구매할 수 있다.

—

POIVRE DE SARAWAK 푸아브르 사라와크

사라왁 후추

말레이시아산 검은 후추로 우디 향과 과일향이 난다.

—

POUDRE À CRÈME 푸드르 아 크렘
커스터드 분말, 크림 분말
농도를 걸쭉하게 해주는 전분에 색소와 향료를 섞어 만든 분말로, 주로 크림이나 플랑을 제조할 때 사용된다. 전문 재료상이나 인터넷에서 구매할 수 있다. 옥수수 녹말 (Maïzena®)이나 밀가루로 대체할 수 있다.

—

PROPOLIS 프로폴리스
프로폴리스
프로폴리스는 꿀벌이 나무에서 모은 수액과 꽃에서 모은 꽃가루로 만든 천연 식물성 물질이다. 꿀벌통 사이사이에서 세균 등의 침입을 막아 벌과 꿀을 보호하는 천연 방패 역할을 한다. 양봉업자는 꿀에 이어 부산물인 프로폴리리스를 채집해낸다. 항균, 항염 효과가 뛰어난 프로폴리스는 시럽, 연질 캡슐 형태로 소비되거나 꿀에 넣는 성분으로 사용되기도 한다.

—

STABILISATEUR 스타빌리자퇴르
스태빌라이저, 안정제
식품의 농도나 질감을 일정하게 유지하도록 돕는 식품첨가제.

—

SUCRE PANELA 쉬크르 파넬라
파넬라 설탕
남미에서 많이 즐겨먹는 식품으로 사탕수수 시럽을 끓인 뒤 식혀 덩어리로 굳힌 갈색 설탕이다.

—

SUPER NEUTROSE 쉬페르 뇌트로즈
아이스크림 안정제
아이스크림이나 소르베에 사용되는 분말형 안정제로 혼합물의 잔여 수분을 흡수하여 질감을 밀도 있게 해준다.

—

TAGÈTE 타제트
마리골드, 천수국, 홍황초
향이 있는 노란색 또는 주황색 꽃이 피는 식물로 만수국(프렌치 마리골드 l'œillet d'Inde, la rose d'Inde)과 비슷하다.

—

TRIMOLINE® (OU SUCRE INVERTI)
트리몰린 (쉬크르 앵베르티)
전화당
흰색 페이스트 형태의 설탕으로 재료를 부드럽고 말랑말랑하게 하며 보존성을 높인다. 아카시아 꿀로 대체해도 된다.

—

XANTHANE 장탄
잔탄검
유화안정성과 점도를 증대시키는 가루 형태의 식품첨가제.

—

YUZU 유주
유자
아시아가 원산지인 감귤류 과일로 특히 일본 요리에 많이 사용된다. 아시아 식품점에서 구매 가능하다.

L

GLOSSAIRE
용어 설명

—

ABAISSER 아베세
파티스리용 밀대나 압착 파이롤러를 이용하여 반죽을 납작하게 밀다.

—

BAIN-MARIE (FAIRE CUIRE AU)
(페르 퀴르 오) 뱅 마리
중탕으로 익히다. 음식을 담은 용기째로 끓는 물에 담가 천천히 익히는 중탕 조리법.

—

BEURRE NOISETTE (RENDRE UN)
(랑드르 앙) 뵈르 누아제트
브라운 버터, 헤이즐넛 버터를 만들다. 버터가 녹으면 바닥의 유청이 캐러멜라이즈 되면서 헤이즐넛과 같은 특유의 고소한 향을 낸다. 너무 타서 갈색이 짙어지면 독성을 띨 수 있으니 주의해야 한다.

—

BEURRE POMMADE (RENDRE UN)
(랑드르 앙) 뵈르 포마드
버터를 포마드 상태로 부드럽게 하다. 상온에 두어 부드러워진 버터를 잘 섞어 포마드처럼 매끈하고 크리미하게 만들다.

—

BLANCHIR 블랑시르
파티스리에서 이 용어는 달걀노른자와 설탕을 거품기나 주걱으로 세게 휘저어 섞어 그 색이 뽀얗게 되도록 혼합하는 것을 의미한다.

—

BRUNOISE (TAILLER EN)
(타이예 앙) 브뤼누아즈
'브뤼누아즈'로 썰다. 채소 등의 재료를 아주 작은 주사위 모양으로 썰다.

—

COMPOTER 콩포테
콤포트 농도가 될 때까지 오랜 시간 뭉근히 졸이듯이 익히다.

—

CROÛTER 크루테
반죽 등의 재료를 오븐에 익히기 전에 표면을 미리 건조시켜, 손을 댔을 때 묻어나지 않을 정도로 굳게 하다.

—

CUIRE À BLANC 퀴르 아 블랑
타르트나 파이의 시트만 먼저 구워내다. 밀어 펴서 틀에 앉힌 시트 반죽에 유산지를 깔고 그 위에 베이킹용 누름돌이나 마른콩 등을 얹어 무게로 누른 다음 구우면 익으면서 부풀어 오르는 것을 막을 수 있다.

—

DÉCUIRE 데퀴르
익히고 있는 액체에 다른 액체나 고체 재료를 넣어 급격히 온도를 떨어트리는 것을 뜻한다.

—

DÉTENDRE 데탕드르
농도가 진한 혼합물이나 음식에 액체를 추가해 농도를 묽게 만들다.

—

ÉMULSIONNER 에뮐시오네
에멀전화하다, 유화하다. 섞이기 힘든 물질에 공기를 불어넣으며 세게 저어 완전히 혼합하다.

—

ENROBER 앙로베
물질의 표면 전체를 비교적 두꺼운 두께로 덮어 감싸다. 케이크 등의 표면을 코팅하여 형태를 보존하고 데커레이션 효과를 낼 수 있다.

—
FONCER 퐁세
타르트나 케이크 틀에 바닥과 내벽에 얇게 민 시트 반죽을 깔아주다.

—
LIER 리에
육즙 소스(jus), 육수, 소스 등에 밀가루, 전분, 지방질, 달걀노른자 등의 재료를 넣어 부드럽고 걸쭉한 농도를 더하다.

—
LISSER 리세
액체 혼합물 등을 거품기로 힘차게 저어 섞어 매끈하고 균일한 질감으로 만들다. 또는 실리콘 주걱 등을 사용하여 음식물의 표면을 평평하고 매끈하게 만들다.

—
MONTER 몽테
한 가지 재료나 혼합물을 거품기로 휘저어 공기가 주입되고 부피가 늘어나게 만들다.

—
NAPPER 나페
소스, 글라사주 등의 액체을 음식의 끼얹어 표면을 완전히 코팅하다.

—
PÉTRIR 페트리르
여러 재료를 혼합하여 균일한 반죽을 만들다. 반죽기를 돌려 혼합하는 시간에 따라 탄성이 달라진다.

—
POCHER 포셰
뜨거운 액체에 재료를 넣어 데치거나 삶다. 또는 짤주머니를 사용해 재료를 일정한 모양으로 짜 놓다.

—
POUSSER 푸세
반죽을 더운 곳에 두어 부풀도록 하다.

—
RÉDUIRE 레뒤르
국물이나 소스 등의 액체를 뚜껑을 열고 가열해 졸이다.

—
SABLER 사블레
여러 재료를 섞은 혼합물이 모래 알갱이처럼 포슬하게 흩어지는 질감이 되도록 만들다.

—
SERRER 세레
달걀흰자를 거품 낼 때 설탕을 조금씩 넣으며 거품기로 세게 휘저어 단단하고 균일한 질감을 만들다.

—
TAMISER 타미제
체에 걸러 덩어리나 알갱이를 제거하고 곱고 균일한 가루를 받아내다.

—
TORRÉFIER 토레피에
로스팅하다. 볶다. 마른 씨앗이나 견과류를 기름 없이 로스팅하여 수분을 제거하다.

—
TURBINER 튀르비네
아이스크림이나 소르베 혼합 믹스를 아이스크림 메이커에 넣고 얼어 고체가 되도록 돌린다.

—

CHALUMEAU 샬뤼모
토치. 가스를 이용하여 불꽃을 내는 주방용 화기로 디저트나 그라탱의 표면을 그슬리는 캐러멜라이징, 요리에 브랜디 등을 붓고 불을 붙여 잡내를 없애고 좋은 향을 남기는 플랑베, 또는 고기에 갈색을 내주는 용도 등으로 사용한다. 불꽃이 나오는 입구와 가스를 충전하는 부분으로 이루어져 있다.

—

CHINOIS ET CHINOIS ÉTAMINE
시누아, 시누아 에타민
체, 원뿔체. 소스나 육수 등 주로 액체류를 거를 때 사용하는 스테인리스 재질의 고운 체.

—

COUTEAU D'OFFICE 쿠토 도피스
페어링 나이프. 짧고 뾰족한 날을 가진 작은 크기의 칼. 날이 매끈하고 예리해 각종 식재료의 껍질 벗기기, 자르기, 잘게 썰기 등에 두루 사용하는 활용도가 높은 칼이다.

—

CUL-DE-POULE 퀴 드 풀
밑이 둥근 믹싱볼. 일반적으로 스텐으로 된 반구형 볼로, 요리·제과제빵에서 재료를 혼합하는 데 두루 쓰인다. 밑이 둥근 형태라 거품기를 사용하기에 편리하다.

—

DOUILLE 두이유
짤주머니의 깍지. 짤주머니 끝에 끼우는 깍지로 둥근 모양, 비스듬하게 커팅된 모양, 구멍이 뚫린 모양, 톱니 모양 등 그 종류가 다양하다. 요리나 디저트 등의 정교한 데커레이션을 할 때 요긴한 도구다.

—

EMPORTE-PIÈCE 앙포르트 피에스
쿠키 커터. 반죽을 모양대로 자르는 커터로 보통 스테인리스나 플라스틱으로 되어 있으며, 매끈한 원형, 요철이 있는 형태 등 크기와 모양이 다양하다.

—

LAMINOIR 라미누아르
파이 롤러. 두 개의 원통형 파이프 롤러 사이에 반죽을 넣어 길게 펴거나 납작하게 미는 기계로 제빵 제과에서 주로 페이스트리 파이 반죽을 만들 때 유용하게 사용한다.

—

MANDOLINE 만돌린
만돌린 슬라이서, 채칼. 재료를 일정한 두께로 얇게 저밀 때 사용하는 도구. 다양한 종류의 채칼 날을 끼워 사용하기도 한다.

—

MARYSE 마리즈
알뜰 주걱. 실리콘으로 만든 납작한 주걱으로 거품올린 달걀흰자 등을 혼합물에 넣어 살살 돌려가며 섞을 때 주로 사용한다. 또한 용기에 남은 음식물이나 소스를 깔끔하게 덜어낼 때도 요긴하게 쓰인다.

—

MICROPLANE® 마이크로 플레인®
마이크로 플레인 제스터. 시트러스 과일류의 껍질 제스트를 아주 곱게 갈아내거나 단단한 치즈 덩어리를 가늘게 갈 때 사용하는 입자가 고운 강판 겸 제스터.

—

MIXEUR PLONGEANT 믹쇠르 플롱장
핸드블렌더. 음식을 덩어리 없이 곱게 갈아 혼합할 수 있는 핸드블렌더. 긴 막대 형태의 손잡이 부분과 회전날이 있는 헤드 부분으로 구성되어 있다.

—

PALETTE COUDÉE 팔레트 쿠데
L자 스패출러. 길쭉하고 무딘 날이 달리고 손잡이 이음새 부분이 살짝 L자 형태로 꺾인 주방 소품으로 날은 끝이 둥글거나 혹은 직각으로 되어 있다. 음식의 형태를 그대로 유지한 채 뒤집거나, 케이크에 크림 등을 발라 씌울 때 사용한다.

—

PAPIER CUISSON 파피에 퀴송
조리용 종이, 실리콘 코팅지. 얇은 실리콘 코팅을 입힌 조리용 유산지의 일종. 높은 온도를 견디고 기름을 바르지 않아도 음식이 달라붙지 않는다.

—

PISTOLET OU AÉROGRAPHE
피스톨레, 아에로그라프
스프레이건, 파티스리용 분사기. 케이크나 초콜릿 등에 식용 색소나 코팅 혼합물을 분사해 표면을 코팅하는 용도로 사용한다.

—

POCHE À DOUILLE 포슈 아 두이유
짤주머니. 원뿔형의 말랑한 방수 주머니로 끝부분에 깍지를 끼우고 내용물을 채운 뒤 원하는 모양으로 짜는 데 사용한다.

—

TAMIS 타미
체. 간격이 촘촘한 철제 망이 장착된 둥근 모양의 도구로 가루나 기타 혼합물의 불순물과 알갱이를 제거하고 곱게 거르는 데 쓰인다.

—

TAPIS SILPAT® 타피 실파트®
실리콘 패드, 실팻®. 음식물을 오븐에 익히거나 냉동할 때 바닥에 깔아주는 실리콘 패드의 대표적인 상품명. 조리용품 전문매장에서 판매하며, 다른 상표의 실리콘 패드를 사용해도 무방하다.

7시

— *비에누아즈리 Viennoiseries*

11시

— *파티스리 Pâtisseries*

— *가토 드 부아야주 Gâteaux de voyage*

15H

iNDEX

P A PAR ORDRE –

A

ALPHABÉTIQUE

H

알파벳 순 찾아보기

I

D_ iNDEX PAR TYPE

DE RECETTES T

레시피 유형별 찾아보기

iNDEX - DES

A

B

C

E

F

G

H

K

L

재료별 찾아보기

PRODUiTS

인터콘티넨탈 파리 르 그랑 호텔에서 촬영

2012년부터 르 뫼리스(Le Meurice) 호텔의 제과부문 총괄 셰프로 활동하고 있는 세드릭 그롤레는 13세 때 대형 호텔의 요리사였던 할아버지의 영향을 받아 파티스리에 첫발을 들여놓았다. 어릴 때부터 디저트의 세계에 매료되었던 그는 파티시에 전문 중등교육과정 2년을 마치고 직업적성자격증(CAP Certificat d'Aptitude Professionnelle)을, 이어서 이생조(Yssingeaux) 국립제과제빵학교(ENSP)에서 직업기술자격증(BTM Brevet Technique des Métiers)을 획득했다.

졸업 후 2006년 파리에 정착한 그는 대표적인 파티스리 명가인 '포숑(Fauchon)'에서 실력을 쌓아나갔다. 이곳에서의 경험은 세드릭 그롤레가 파티스리 테크닉을 발전시키고 많은 노하우를 축적하는 결정적이고 내실 있는 계기가 되었다. 특히 함께 일한 세 명의 실력 있는 파티스리 셰프인 크리스토프 아당(Christophe Adam), 브누아 쿠브랑(Benoît Couvrand), 크리스토프 아페르(Christophe Appert)는 세드릭 그롤레가 파티시에로서의 확고한 정체성을 확립하는 데 다방면으로 큰 영향을 미쳤다. 포숑에서 5년간 경험을 쌓은 후 그는 더 높은 곳을 향해 날아오르기 시작했다. 야닉 알레노(Yannick Alleno)와 카미유 르세크(Camille Lesecq)가 이끄는 르 뫼리스 호텔 팀에 합류하게 된 것이다. 그는 최고가 지향하는 까다로움과 엄격함을 절실히 깨달았으며, 파티시에로서 '맛'이라는 것을 완벽히 이해해야 한다는 신념을 갖고 이 두 셰프가 이끄는 대로 차근차근 따라갔다. 2012년 알랭 뒤카스(Alain Ducasse)가 르 뫼리스 호텔의 식음매장을 총괄하는 책임자로 입성하면서 그는 또 한 번 커리어의 큰 전환점을 맞게 되었다. 그는 26세에 이 세계적인 럭셔리 호텔의 총괄 파티시에 자리에 오르게 된 것이다. 완벽주의를 지향하는 알랭 뒤카스 셰프의 지도하에 그는 최고의 맛을 추구하며 끊임없는 노력을 쏟아부었다. 그는 곧 동료들 사이에서 인정받게 되었고, 당대에서 가장 촉망 받는 파티시에 중 한 명으로 등극했다. 2015년부터 노력의 결실을 맺기 시작한 세드릭 그롤레는 파티스리 분야의 굵직한 상들을 모두 휩쓸기 시작했고, 드디어 2018년 '월드베스트 50'는 그를 세계 최고의 파티시에로 선정했다.

이와 같은 그의 열정은 보다 폭넓은 기술 전수와 대중과의 다양한 만남으로 이어졌다. 몇 년 전부터 그는 전 세계에서 마스터클래스를 진행하며 자신만의 테크닉 교육을 실시하고 있다. 2017년 출간한 그의 첫 번째 책『과일 *Fruits*』*은 큰 성공을 거두었고 자신의 레시피를 많은 이들과 공유할 수 있게 되었다. 2018년 '르 뫼리스' 호텔은 세드릭 그롤레 파티스리를 별도로 오픈하여 대중들이 좀 더 쉽게 이 셰프의 디저트를 만날 수 있는 공간을 만들었다. 언제나 새로운 모험과 도전을 계속하고 있는 그는 이러한 성공에 힘입어 자신의 두 번째 책『오페라 *Opéra*』를 세상에 내놓게 되었다. 그는 2019년 말 파리 오페라 광장에 자신의 이름을 건 파티스리 부티크 '오페라'를 오픈했다.

* '세드릭 그롤레 과일 디저트' (시트롱마카롱 출판, 2018)

—

세드릭 그롤레의 약력 및 수상

1985 생 테티엔(Saint-Étienne) 인근 피르미니(Firminy) 출생

2000 파티스리 직업적성자격증(CAP) 과정 시작

2006 포숑(Fauchon)에 신입 파티시에(commis pâtissier)로 입사

2011 르 뫼리스 호텔(Hôtel Le Meurice) 파티스리 수셰프

2012 르 뫼리스 호텔 파티스리 총괄 셰프

2015 '르 셰프(*Le Chef*)' 매거진이 선정한 올해의 셰프 파티시에

2016 '레 를레 데세르(Les Relais desserts)'가 선정한 올해의 셰프 파티시에. '레 토크 블랑슈 리오네즈(Les Toques blanches Lyonnaises)'가 선정한 올해의 최우수 셰프 파티시에.

2017 '옴니보어(Omnivore)'가 선정한 올해의 셰프 파티시에 상 수상. 뉴욕에서 월드 베스트 파티시에 상 수상.

2018 '월드베스트 50' 세계 최우수 파티시에로 선정.

2019 파리 시가 수여하는 최고 훈장 메다이 그랑 베르메유(médaille Grand Vermeille) 수상. 컨설팅 그룹 및 싱크탱크 '럭셔리 크리에이션 센터(Centre du Luxe et de la Création)에서 선정한 '황금 재능(Talent d'Or)' 상 수상.

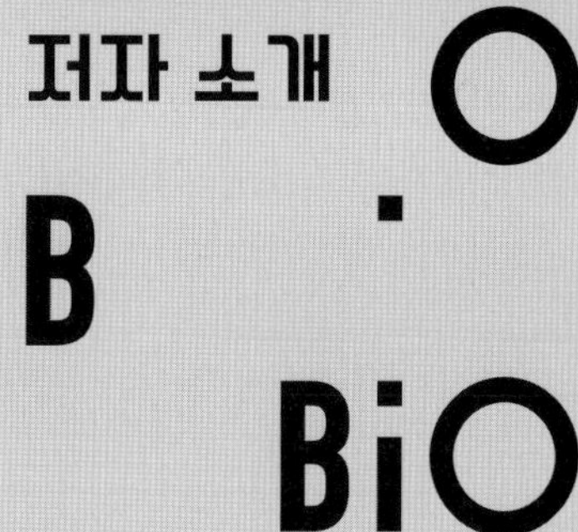

감사의 말

엄격함이 무엇인지 가르쳐주신 나의 요리사 할아버지, 창의력을 물려주신 나의 화가 할아버지께,

오늘날 내가 여러 아름다운 재료들을 사용하며 일할 수 있도록 자연을 존중하는 마음을 심어주신 나의 어머니, 아버지께,

아마도 그들의 신뢰가 없었다면 이 책은 탄생하지 못했을 나의 동료 요한, 아리테아, 세바스티앵, 마티유에게,

언제나 세심한 도움을 아끼지 않는 나의 수호천사 카미유와 마리에게,

이 새로운 모험 작업에 함께하며 귀한 재능을 보여준 수앵 그라픽, 오렐리, 카미유와 피에르에게,

나의 디저트를 잘 이해하고 멋진 사진으로 표현해준 사진작가 필립 보레스 산타마리아에게,

알랭 뒤카스 출판사, 특히 일관적인 원칙으로 정교한 편집 작업에 매진한 제시카와 프랑신에게,

언제나 격려를 아끼지 않고 지켜보아 주시는 알랭 뒤카스 셰프께,

무한한 신뢰를 보내주신 르 뫼리스 호텔 프랑카 올트만 총지배인께,

늘 소중한 조언을 아끼지 않는 프랑수아 들라에 대표께,

매번 나의 공간 작업에 함께 해주신 네올리트 인테리어 실무자 여러분에게,

깊은 감사를 드립니다.

MERCi

감사합니다

번역 강현정

이화여자대학교에서 프랑스어를 전공하고 한국외대통역대학원 한불과를 졸업한 후 동시통역사로 활동했다. 르 꼬르동 블루 파리에서 요리 디플로마와 와인 코스를 수료했으며 알랭 상드랭스(Alain Senderens)의 미슐랭 3스타 레스토랑 뤼카 카르통(Lucas Carton)에서 한국인 최초로 견습생으로 일한 경험이 있다. 그 후 베이징과 상하이에서 오랜 기간 생활하면서 다양한 미식 경험을 쌓았고, 귀국 후 프랑스어와 음식 문화 전반에 대한 사랑과 관심을 토대로 미식 관련 서적을 꾸준히 번역해 소개하고 있다. 네이버 지식백과에서 구축한 그랑 라루스 요리백과의 번역을 맡았다. 역서로는 세드릭 그롤레의 과일 디저트, 미식 잡학사전, 페랑디 요리 수업, 페랑디 파티스리, 디저트에 미치다, 심플리심: 세상에서 가장 쉬운 프랑스 요리책, 초콜릿의 비밀, 피에르 에르메의 프랑스 디저트 레시피 등이 있다. 2017년 월드 구르망 쿡북 어워드(World Gourmand Cookbook Awards)에서 페랑디 요리 수업(*Le Grand cours de cuisine Ferrandi*)으로 출판 부문 최우수 번역상을 받았다.

이 도서의 국립중앙도서관 출판예정도서목록(CIP)은
서지정보유통지원시스템 홈페이지(http://seoji.nl.go.kr)와
국가자료공동목록시스템(http://www.nl.go.kr/kolisnet)에서
이용하실 수 있습니다.(CIP제어번호: CIP2020009241)

OPERA
세드릭 그롤레 오페라

1판 1쇄 발행일 2020년 5월 1일
1판 2쇄 발행일 2022년 2월 15일
저　자 : 세드릭 그롤레
번　역 : 강현정
발행인 : 김문영
펴낸곳 : 시트롱마카롱
등　록 : 제2014-000153호
주　소 : 경기도 파주시 책향기로 320, 2-206
페이지 : www.facebook.com/citronmacaron @citronmacaron
이메일 : macaron2000@daum.net
ISBN : 979-11-969845-0-2 03590

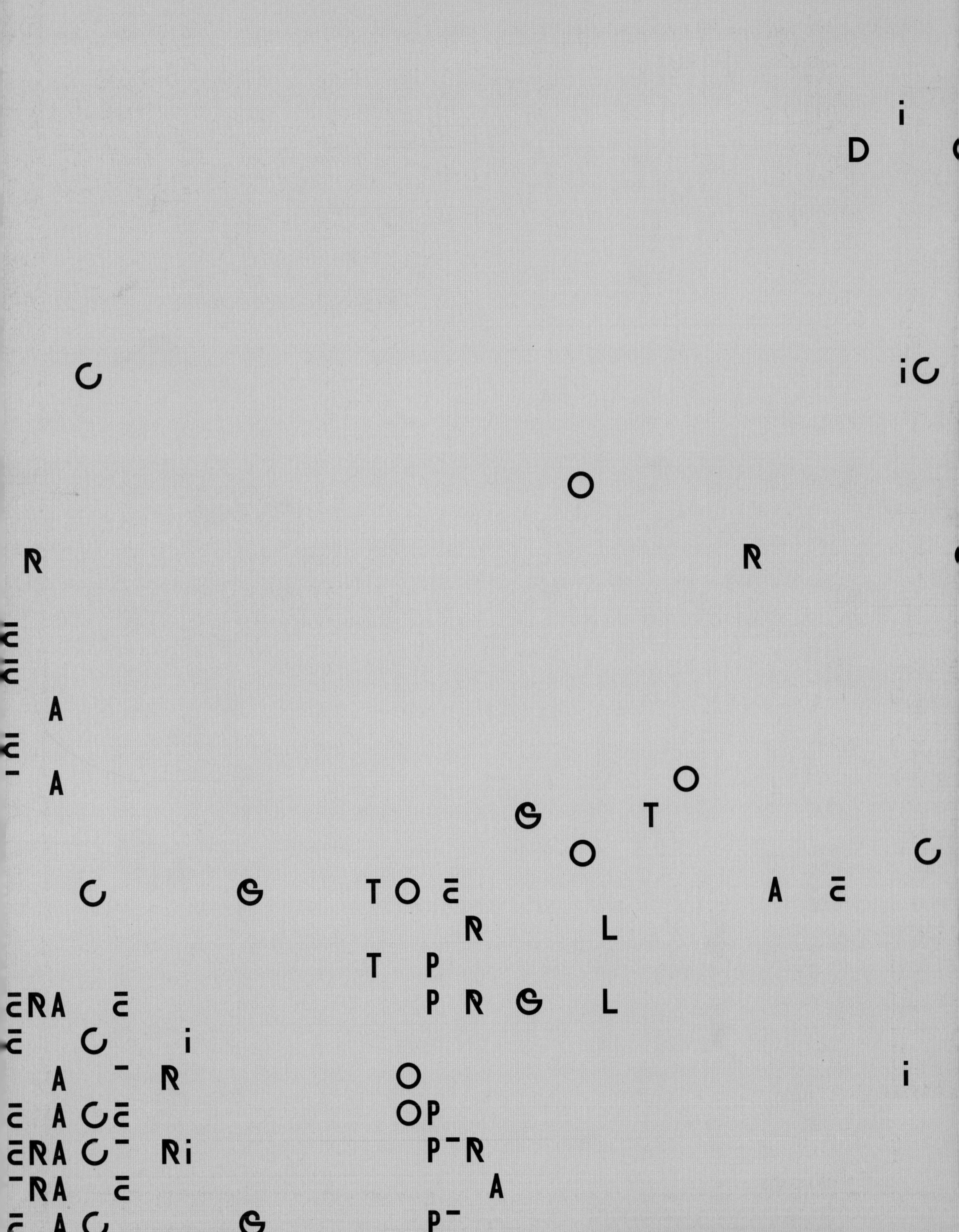